Foundations Italian

1

BIRMINGHAM COLLEC
COLLE
Tel.

Mara Benetti
Lecturer at Goldsmiths College and
Imperial College, London

Carmela Murtas
Lecturer at the University of Westminster and
Italian Teacher Trainer at International House, London

Caterina Varchetta
Lecturer at London Metropolitan University

Project Co-ordinator
Roberto Di Napoli
Senior Lecturer at the University of Westminster

Series Editor
Tom Carty
Formerly IWL/Programme Leader at Staffordshire University
and the University of Wolverhampton

palgrave

First published 2001 by
PALGRAVE
Houndmills, Basingstoke, Hampshire RG21 6XS and
175 Fifth Avenue, New York, N.Y. 10010
Companies and representatives throughout the world

PALGRAVE is the new global academic imprint of
St. Martin's Press LLC Scholarly and Reference Division and
Palgrave Publishers Ltd (formerly Macmillan Press Ltd).

ISBN 0–333–91237–3 book
ISBN 0–333–91245–4 cassettes

This book is printed on paper suitable for recycling and
made from fully managed and sustained forest sources.

A catalogue record for this book is available from the
British Library.

Audio production: University of Brighton Media Centre
Produced by Brian Hill

Voices: Modesto Simone, Antonio Borraccino, Mara Benetti,
Carmela Murtas, Caterina Varchetta

Original design by Wendi Watson

Formatted by
The Ascenders Partnership, Basingstoke

10   9   8   7   6   5   4
10 09 08 07 06 05 04 03

Printed in China

CONTENTS

Introduction		v
Learning a language		ix
1	**Come ti chiami?** What's your name?	1
2	**Al lavoro e in famiglia** Work and family	13
3	**Una giornata tipica** A normal day	25
4	**Il tempo libero** Free time	39
5	**Al bar** At the café	51
6	**A casa** At home	65
7	**In città** In town	77
8	**Ti va di ...?** What about ...?	89
9	**Cosa hai fatto ieri?** What did you do yesterday?	103
10	**Alla ricerca di un lavoro** Looking for a job	115
	Ancora un po' di pratica Further practice	127
	Guide to grammatical terms	148
	Grammar summary	150
	Vocabulary	161
	Answers	171
	Appendix	182
	Index	183
	Book plan	186

Acknowledgements

The authors would like to thank Pratik Saha whose help was crucial throughout all the stages of creating this course.

The authors and publishers would like to thank the Ann Ronan Picture Library for use of the photos of Sofia Loren and Leonardo Di Caprio on page 14. The following illustration sources are also acknowledged: Tiggy Ansell p. 56; Mara Benetti p. 11; Chris Glennie pp. 4, 131; The Italian State Tourist Board (E.N.I.T.) London pp. 26, 29, 54, 86; Paul & Cynthia Tyler pp. 27, 97, 122, 124, 129; Caterina Varchetta pp. 5, 18, 32, 90, 100, 101, 102, 109, 130.

Every effort has been made to trace all copyright holders, but if any have inadvertently been overlooked the publishers will be pleased to make the necessary arrangements at the first opportunity.

INTRODUCTION

Mainly for the tutor

Foundations Italian 1 is an Italian language course for beginners aimed at students taking a language option or similar module on an Institution-Wide Language Programme (IWLP) or equivalent programme. It is part of the Foundations Languages Series which is specifically designed for such programmes. Its structure and content are informed by market research and consultation within the sector. All the authors are experienced tutors on IWLP-style university courses.

Many of the textbooks used on beginners' and intermediate language courses in higher education were not designed for that purpose and it shows. Tutors and students particularly complain of inappropriate topics and excessive length (with units and sections having to be skipped or the book not completed). Tutors often also find they have to supplement the textbook to make up for deficiencies in the coverage of skills, tasks or grammatical topics required by university or college module descriptors.

This textbook is designed to fit the typical 24-week teaching year and assumes two or three hours of class contact per week. There are ten units (five per semester if your academic year is organised that way), each structured in the same way. In each unit the core material is supported by partner work, extension work, grammatical exposition and exercises, as well as a vocabulary page. For further work and private study there are supplementary exercises relating to each unit. Answers are provided to all exercises, whether core or supplementary. There is a global grammar summary, a glossary and an index. Items marked with a headphone icon are on the accompanying cassettes, the price of which includes the right to duplicate the cassettes for the use of students within your institution.

For more details on the structure of the book and how it is designed to be used, see the 'Mainly for the student' section of this Introduction. Encourage your students to read that section in connection with the practical tips on learning a language which follow it. Both the Introduction and the tips stress to the student that this is a taught course and they must be guided by you, the tutor.

Mainly for the student

What follows is a guide to the textbook. Take time to read it so you get maximum benefit from your course. You should also read the section 'Learning a language' which begins on page ix.

1. Structure

There are ten **units**. These have the same clear, consistent structure, which you will soon get used to. At the start of the unit, there is a brief **summary** of what you will learn to do in it. Then comes the **core**, several pages in which new material is introduced, then practised and used in various ways. Each unit is divided into numbered items or sections. Audio cassettes accompany the textbook.

The core is followed by a page headed **Extra!** As the heading implies, this material, while on the same topics as in the six-page core, makes extra demands, is that bit more challenging.

Two pages are then devoted to the **grammatical structures** you have encountered in the unit, with exercises to practise them.

The next page is the **new vocabulary** from the unit.

Then come two pages of **partner work** – communication exercises where you are given prompts for half a conversation (Partner A page) and your partner has the prompts for the other half (Partner B page).

Beginning on page 127 there are **supplementary exercises** for each unit. These are for work outside the classroom. Your tutor may sometimes set work from these pages or you can use them as and when suits you, to consolidate what you have done from the unit core.

For reference there is a **guide to grammatical terms**, an overall **grammar summary** and a **vocabulary** (word-list). Also at the end of the book, you will find **answers** to all the exercises.

2. Using the book

Each **unit** is focused on one or more themes or situations in which the language is used. The short **summary** at the start of the unit tells you what the themes are and describes what you will be able to do with the language once you have completed the unit. That's a key word ('do'): while language-learning requires and develops knowledge and understanding, it above all means developing the capability of using the language in given circumstances.

The **core** contains the 'input' (new language) for the unit as well as a range of tasks designed to help you master it and make it your own. The key inputs come in various forms such as: *presentation*, when you are given, for example, the numbers, the days of the week or the system for telling the time; *matching exercises*, where you are introduced to new words or structures by having to put them in categories, by matching up an Italian word with its English equivalent or a picture, or by matching up questions and answers in a dialogue; *reading and listening exercises*, where you may, for example, be asked to listen to the recording and fill in gaps in the script or check a script in jumbled-up order against what you hear; *using a model*, the best example of which is working on your pronunciation and intonation using the recording.

Whatever the form of input, it is absolutely vital to spend time and effort mastering this material. Be guided by your tutor. He or she will introduce it in class or ask you to prepare it in advance. If there's a word or phrase you're unsure of, turn to the vocabulary page for the unit and check. If a grammatical point puzzles you, refer to the unit grammar pages or the Grammar summary towards the end of the book. If you wonder what a grammatical term means, look it up in the Guide to grammatical terms just before that Grammar summary.

The material introduced in an input exercise flows into exercises in the section(s) immediately following, enabling you to practise, use and master this language. After you have done these exercises in class (or gone over them there, having prepared them in advance), make sure you revise the input material and key structures in your private study time.

The exercises practising and applying the input material are carefully devised to enable you to progress and consolidate in manageable steps. They are very varied, as the following examples show. Again, they include many *reading and listening exercises*, as described above, but also *speaking exercises*, typically involving you working with a partner or in a group. Here, you are communicating in a controlled situation, using the language introduced in the input sections. *Grammar exercises* develop your ability to deduce rules from examples as well as to recognise and use the structures of Italian correctly. Grammatical points are highlighted in boxes throughout the core pages of each unit. As to *writing* in Italian, work in the unit core is mostly carefully controlled.

The **Extra!** page in each unit gives you the opportunity further to develop your Italian, taking listening, reading and writing skills beyond the confines of the core input material while staying on related topics. There is a particular focus on listening, with lively, natural conversations from which you have to extract specific information. In such exercises, it is important to avoid the temptation to fret over every word: check out the information you are being asked for and the table you have to fill in when you find it and listen with that in mind.

The **grammar** pages follow. In each unit, the first gives you a clear overview of the grammar content of the unit, the second provides a set of short exercises so you can test yourself (answers at the back of the book). Don't skip these pages: they simply clarify and check off grammatical structures you have met with and used in the course of the unit. This is how you become aware of the Italian language as a system.

The **glossary** page gives the new vocabulary occurring in the unit. Learn them as you go along and revise them regularly. Note that you can use a noun in Italian properly only if you know whether it is masculine or feminine.

Introduction

The **partner work** material can be used in or out of the classroom to develop communication skills. The scenarios are always based on the material in the unit core, so you are secure in a known context. The challenge is to use the language you have learnt to communicate information your partner needs and to respond to what he or she says.

The **Further Practice** section offers supplementary exercises on a unit-by-unit basis and is designed to be used in private study. Answers are given at the back of the book. As the section 'Learning a language' stresses, work outside the classroom, both that set by the tutor and that done on your own initiative to meet your own priorities, is an essential part of a taught language course.

These symbols appear next to the rubric of most exercises and indicate the type of skill or activity required.

	Ascolta	Listen
	Leggi	Read
	Scrivi	Write
	Trova la regola	Find the rule
	Lavoro di coppia	Pair work
	Lavoro di gruppo	Group work

Now you have a clear idea of how this book is designed to be used, read the section on 'Learning a language' which follows. It gives detailed practical advice which will help you to get maximum benefit from your Italian course.

LEARNING A LANGUAGE

The Introduction on the previous pages outlines the structure of this book and indicates how it is designed to be used: make sure you read it. The aim here is to give more general guidance on language learning. You should read it before you begin your course and refer to it regularly.

The advice which follows takes into account that you are beginning a taught course rather than a course of self-tuition. You're probably taking an Italian language option or elective alongside your main subject, or maybe your higher education course has a compulsory, if minor, language element.

1. A practical point first. Check the course or module guide and/or **syllabus** to see exactly what is required of you by your university or college. In particular, find out how the course or module is assessed.

   The course guide and assessment information will probably be expressed in terms of the four language skills of listening, speaking, reading and writing. The relative importance of these skills can vary between institutions.

2. Remember this is a taught course – you're not on your own. **Your tutor** is there to guide you through the course. Using the material in the book, he or she will introduce new structures, ensure you practise them in class and then enable you to produce similar language until you develop the capacity to work autonomously. The first rule of a taught language course, then, is to follow your guide.

3. Of course a guide can't go there for you. While your tutor will show you the way, **only you can do the learning**. This means hard work both in the classroom and outside the timetabled hours.

4. **Regular attendance** at the language class is vital. This isn't like a lecture-based course, where you can miss one session and then catch up from a friend's notes or even live with the fact that there's going to be a gap in your knowledge. A language class is a workshop. You do things. Or to put it more formally, you take part in structured activities designed to develop your linguistic competence.

5. But mere attendance isn't enough. Being there isn't the same thing as learning. You have to **participate**. This means being an active member of the class, listening carefully, working through the exercises, answering questions, taking part in simple dialogues, contributing to group work, taking the risk of speaking without the certainty of being right. It also means preparing before classes and following up afterwards …

6. ... because what you do **outside the classroom** is vital, too. While new topics will normally be introduced in class, your tutor will also set tasks which feed in to what you will be doing in the next session. If you don't do the preparation, you can't benefit from the classroom activity or the tutor will have to spend valuable time going over the preparation in class for the benefit of those who haven't done it in advance. Classroom contact time is precious, normally no more than two or three hours a week, and it's essential to use that time to the best effect. Similarly, the tutor will sometimes ask you to follow up work done in class with tasks designed to consolidate or develop what you have done.

7. You should also take time to **review** and reflect on what you have been doing, regularly going over what you have done in class, checking your learning. This will also enable you to decide your priorities for private study, working on areas you find difficult or which are particular priorities for you (see point 9 below).

8. This assumes that you are **organised**: keep a file or notebook, in which you jot down what you have done and what you plan to do. It's a good idea to work for several shortish bursts a week than for a long time once a week.

9. While a lot of out-of-class work will be done at home, your university or college will probably have a Learning Centre, **Language Centre** or similar facilities in the library. Check this out and use whatever you can to reinforce and supplement what you are doing in class and from this textbook. Make sure any material you use is suitable for your level: it will probably be classified or labelled using categories such as Beginners, Intermediate and Advanced.

   Possible resources: audio cassettes, videos, satellite TV, computer-based material, the internet, books (language courses, grammar guides, dictionaries, simple readers), magazines and newspapers, worksheets. Possible activities: listening comprehension, pronunciation practice, reading comprehension, grammar exercises, vocabulary exercises. Computer-based materials and worksheets will usually have keys with answers.

   It's possible your tutor will set work to be done in the Language Centre or that you will be expected to spend a certain amount of time there, otherwise you should find times during your week when you can drop in.

10. Don't be afraid of **grammar**. This is simply the term for how we describe the way a language works. Learn it and revise it as you go along. There are boxes with grammar points throughout each of the units in this book, a grammar summary for each unit and a grammar overview for the whole book. You probably feel hesitant about grammatical terms such as 'direct object' or 'definite article' but they are useful labels and easily learned. There is a guide to such terms towards the end of the book.

11. In addition to listening-based work in class, you should regularly work in your own time on the accompanying audio material. Try to reproduce the **pronunciation and intonation** (the 'music' of the language) of the native speakers on the recording. It is easier if you work at this from the start and establish good habits than if you approximate to the sounds of the language and have to correct them later. It is important that you repeat and speak out loud rather than in your head.

12. Always bear in mind that, in learning a foreign language, you can normally **understand** (listening and reading) more than you can **express** (speaking and writing). Test yourself by seeing whether you can do some of the exercises where you have to *produce* some Italian. It's a good idea to practise with a fellow-student.

13. When listening or reading, remember **you don't have to be sure of every word** to get the message. Above all, you don't need to translate into your native language.

14. Universities and colleges are increasingly international and you will almost certainly be able to make contact with **native speakers** of Italian. Try out your language, get them to correct your pronunciation, find out about their country and culture.

15. Above all, **enjoy** your language learning!

To summarise:
1. Check the syllabus.
2. Remember your tutor is your guide …
3. … but you do the learning!
4. Attend the class regularly
5. … and participate actively.
6. Work outside the classroom,
7. … constantly reviewing your learning.
8. Be organised.
9. Use the Language Centre or other private study facilities.
10. Learn the grammar and don't be afraid of grammatical terms.
11. Work from the start on getting pronunciation and intonation right.
12. Remember understanding isn't the same as producing the language …
13. … but you don't have to be sure of every word to get the message.
14. Meet fellow-students who are native speakers of Italian.
15. Enjoy yourself!

Tom Carty, *Series Editor*

1 Come ti chiami?

In this unit you will learn how to pronounce Italian words and how to greet people. You will practise giving basic information about yourself and asking others for their personal details. You will learn to understand spoken and written information about individuals.

1 What Italian words do you already know? Make a list.
Your teacher will ask you the English meaning of these words.

Come si dice in inglese **caffè**?/How do you say **caffè** in English?

2 Guarda le pubblicità qui sotto, ascolta e ripeti/Look at the following Italian adverts, listen and repeat.

3 **L'alfabeto italiano**/The Italian Alphabet

A	**a**	a	**H**	**h**	acca	**Q**	**q**	cu
B	**b**	bi	**I**	**i**	i	**R**	**r**	erre
C	**c**	ci	**L**	**l**	elle	**S**	**s**	esse
D	**d**	di	**M**	**m**	emme	**T**	**t**	ti
E	**e**	e	**N**	**n**	enne	**U**	**u**	u
F	**f**	effe	**O**	**o**	o	**V**	**v**	vi/vu
G	**g**	gi	**P**	**p**	pi	**Z**	**z**	zeta

Lettere 'straniere'/'Foreign' letters

Per trascrivere le parole straniere si usano anche queste lettere/To write foreign words these letters are also used.

+ lettere straniere/foreign letters:

J	**j**	i lunga	**W**	**w**	doppia vu	**Y**	**y**	ipsilon/i greca
K	**k**	cappa	**X**	**x**	ics			

 4 **Ascolta e scrivi le parole che ti vengono sillabate**/Listen and write down the words as they are spelt out.

Ora chiedi il significato delle parole che non conosci all'insegnante/Now ask your teacher the meaning of the words you don't know.

Come si dice in inglese **facoltà**?

5 **Guarda questa lista di nomi propri e decidi per ciascun caso se si tratta di un uomo o di una donna**/Look at the list of first names below and decide whether they refer to a man or a woman.

Paolo Alberto Chiara Fabio Teresa Daniele Simone Anna Daniela Adele Francesco Adelaide Gastone Antonio Livio Mauro Giuseppe Carmela Roberto Davide Marco Rosaria Massimo Caterina Mara Lauro Cinzia Milena Valerio Romeo Claudio Irene Alessio Laura Franca Dario Carla Ivana Luciano Susanna Pietro Silvana Lucia Riccardo Gemma Gioia Ugo

-o *masculine*		**-a** *feminine*
	-e *masculine and feminine*	

6 **Saluti**/Greetings

Buongiorno

Ciao

Buonasera

Arrivederci

Buonanotte

Arrivederla

Buongiorno and **Buonasera** are used both when meeting and leaving somebody, usually in formal contexts. However, you may hear them in informal contexts too. **Ciao** is always an informal greeting used for saying either 'hello' or 'goodbye'. It can be substituted by **Salve**. **Buonanotte** is used before going to bed or when leaving after an evening out with one or more people, in both formal and informal contexts. **Arrivederci** means 'goodbye' and can be used, both formally and informally, to address an individual or a group. **Arrivederla** is used to say 'goodbye' to a person with whom you have a very formal relationship (e.g. a university professor).

7 **Guarda le figure e decidi come si salutano queste persone**/Look at the pictures and decide the form of greeting the people use.

a

b

c

d

e

f

g

h

i

8 a Ascolta le seguenti conversazioni e completa con le informazioni mancanti/Listen to the following dialogues and fill in the gaps with the missing information.

1 **Nella segreteria dell'Università di Roma, la segretaria chiede ad uno studente informazioni riguardanti il nome, la nazionalità, la città di provenienza e il luogo di residenza**/At the faculty office of the University of Rome, one of the secretaries asks a student for his name, nationality, birthplace and current place of residence.

A	B
Buongiorno!	Buongiorno!
Come si chiama?	Mi chiamo_____ .
Di dov'è?	Sono spagnolo.
Di dove esattamente?	Di _____ .
Abita in Spagna?	No, abito in Italia.
Dove?	A _____ .

2 **Ad una festa, un ragazzo chiede ad una ragazza le stesse informazioni**/At a party, a boy asks a girl for the same information.

A	B
Ciao!	Ciao!
Come ti chiami?	_____ Paloma. E tu?
Marco. Di dove sei?	_____ spagnola.
Di dove?	Sono _____ Madrid. E tu?
Sono italiano, di Roma. Dove abiti?	Abito qui _____ Roma.

b Ora, con un/a partner fa' i dialoghi qui sopra usando i tuoi dati personali/Now with a partner act out the dialogues above using your own data.

Piazza San Pietro, Roma

grammatica

<u>Asking formally</u>

Come si chiama?
Di dov'è?
Dove abita?

<u>Asking informally</u>

Come ti chiami?
Di dove sei?
Dove abiti?

<u>Answering (both formal and informal)</u>

Mi chiamo ....
Sono spagnolo/spagnola ....
Sono di Roma/Madrid/Londra ....
Abito in Italia/Spagna/Inghilterra ....
Abito a Roma/Madrid/Londra ....

Note: **in** + country, **in Italia**; **a** + town, **a Londra**; **di** + city of origin, **di Londra**.

9 Ascolta e scrivi che cosa chiede Tom a Pierre e a Mary/
Listen and write down what the speaker asks Pierre and Mary.

Tom _____ ?
Pierre No, sono francese.
Tom _____ ?
Mary No, sono inglese.

grammatica

<u>Nationalities</u>

-o (m)   **-a** (f)   **-e** (m/f)
italiano/italiana   **inglese**
spagnolo/spagnola   **francese**

Note that in Italian people always say: 'I'm English' **Sono inglese** and NEVER 'I'm from England' **Sono dell'Inghilterra**.

Una villa a Ravello

5

10 **Guarda la cartina qui sotto, ascolta e completa con le lettere mancanti**/Look at the map below, listen and complete.

Abito in...

| 1 ITALIA | 2 FRAN_ _ _ | 3 SPA_ _A | 4 PORTO_ _ _ _O |

5 _ _ _MANIA

13 _ _ _ _ _ _ _

6 SVI_ _ERA

12 _ _ L _ O

7 _ _ _ _ _ _LTERRA

11 GRE_ _ _

| 10 A_ _ _ _ _ _ | 9 _ _ _ _DA | 8 IR_ _ _ _ _ |

11 **Ascolta e metti un segno (✓) accanto alle nazionalità menzionate**/Listen and put a tick next to the nationalities you hear.

Di dove sei?

italiano	americano	francese	messicana
gallese	brasiliana	turco	canadese
tedesca	svizzero	olandese	italiana
messicano	americana	turca	brasiliano
portoghese	spagnolo	spagnola	greca
marocchino	austriaco	tedesco	sudanese
svedese	inglese	greco	irlandese
argentina	albanese	nigeriano	cinese
indiano	nigeriana	australiana	scozzese

Se ci sono nazionalità che non conosci, chiedi all'insegnante oppure controlla la lista a pagina 10/If there are nationalities you do not know, ask your teacher or check the list on page 10.

Extra!

 12 Ascolto/Listening

Primo giorno all'Università di Siena! Gli studenti si presentano alla classe. Ascolta e completa la tabella/First day at the University of Siena! The students introduce themselves to the class. Listen and complete the table. Before you do the exercise, check the subject list on page 10.

	Nome	Nazionalità	Città di provenienza	Materia di studio
a				Ingegneria
b				
c				Legge
d				Lingue
e				
f				Lettere
g				

13 Lettura/Reading

Leggi e rispondi alle domande/Read and answer the questions below.

To: ....
Subj: Tandem – European Universities

Ciao! Mi chiamo Mark. Sono uno studente inglese di Manchester e studio architettura all'Università di Westminster. Sono al terzo anno e quest'anno faccio anche un corso di italiano perché un giorno voglio andare a vivere in Italia. E tu, che cosa studi? Di dove sei? Dove abiti?
Rispondi presto ...

a Where is Mark from?
b What does he study?
c What year is he in?
d Why does he want to learn Italian?

 14 Scrittura/Writing

Rispondi al messaggio includendo la tua nazionalità, la città di provenienza e la materia di studio/Reply to the message including your nationality, the town you come from and the subject you are studying.

Grammatica/GRAMMAR

- **Nouns**

  Nouns have a gender, masculine or feminine.
  - Nouns ending in **o** are usually masculine.

    gelato   alfabeto   libro   fratello   ragazzo
  - Nouns ending in **a** are usually feminine.

    sorella   città   nazionalità   Italia   sera
  - Nouns ending in **e** can be either masculine or feminine. In order to know the gender of a word, you must always look it up in the dictionary or ask your teacher.

    notte (f)   **caffè** (m)   **nazione** (f)

- **Adjectives**

  Adjectives agree in gender and number with the noun they refer to and they usually follow the noun. There are two categories of adjectives:

- Adjectives ending in **o/a**	- Adjectives ending in **e**
ragazzo italiano (m)	**ragazzo inglese** (m)
ragazza italiana (f)	**ragazza inglese** (f)

  Adjectives ending in **e** have the same ending for the feminine and masculine.

- **Personal pronouns**

  Personal pronouns (the words for 'I', 'you', etc.) are normally omitted, because, unlike English, the endings of the verb tells you immediately who/what the subject is. The words 'I', and 'you', when they are used, are:

  io (I)   **tu** (you informal)   **Lei** (you formal)

  Only the formal 'you' **Lei** can be written with a capital letter in the course of a sentence. However, in contemporary usage, the small **l** is normally accepted.

- **Verbs**

  Here is the present tense of the verb **abitare** 'to live'. It follows the regular pattern of all verbs ending in **-are**. Note the endings.

(io)	**abito**	I live
(tu)	**abiti**	you live
(Lei)	**abita**	you live

  Here is the present tense of the verb **chiamarsi** 'to be called'. It follows the regular pattern of all reflexive verbs ending in **-arsi**. Note the endings and the reflexive pronouns.

(io)	**mi chiamo**	I'm called
(tu)	**ti chiami**	you are called
(Lei)	**si chiama**	you are called

  The verb **essere** 'to be' is irregular.

(io)	**sono**	I am
(tu)	**sei**	you are
(Lei)	**è**	you are

Esercizi di grammatica/GRAMMAR EXERCISES

Adjectives

1 Complete the sentences with the appropriate nationalities (see p 6).

a Mi chiamo Angela (f). Sono _____ (Italia).

b Mi chiamo Pierre (m). Sono_____ (Francia).

c Mi chiamo Boulaji (f). Sono_____ (Nigeria).

d Mi chiamo Ramon (m). Sono_____ (Spagna).

e Mi chiamo Nilza (f). Sono _____ (Brasile).

f Mi chiamo Anja (f). Sono _____ (Germania).

g Mi chiamo Stephen (m). Sono _____ (Canada).

h Mi chiamo Arnd (m). Sono _____ (Austria).

i Mi chiamo Robert (m). Sono_____ (Inghilterra).

j Mi chiamo Fusae (f). Sono _____ (Giappone).

k Mi chiamo Mohammed (m). Sono_____ (Algeria).

l Mi chiamo Firmin (m). Sono_____ (Messico).

Pronouns

2 Fill in the gaps with **mi**, **ti** or **si**.

a Come _____ chiami? – _____ chiamo Gianni.

b Come _____ chiama, Signora? – _____ chiamo Patricia.

c _____ chiami Marcus? No, – _____ chiamo Sue.

d _____ chiama Rossi? – Sì.

Verbs

3 Complete the sentences with the appropriate form of a verb: **abitare, studiare, essere, chiamarsi**. Sometimes more than one verb might make sense.

a Lei _____ a Roma? No, – _____ a Milano.

b _____ di Parigi, ma _____ a Londra.

c Marco, di dove _____ ? – _____ di Perugia. E tu?

d Lei, come _____ ? – _____ Arnd Schneider.

e Anna, che cosa _____ ? – _____ Lingue.

f Professore, dove _____ ? – _____ in via Mazzini.

g Lei _____ italiano? – No, _____ argentino, di Buenos Aires.

4 Complete the sentences with the appropriate question words: **come, che cosa, dove, di dove**.

a _____ studia? – Legge.

b _____ abita? – In Spagna.

c _____ sei? – Sono francese.

d _____ ti chiami? – Aude Ravel.

Glossario/GLOSSARY

Section 4 Academic-related words

università	university
facoltà	faculty
Ingegneria	Engineering
Architettura	Architecture
Lettere	Humanities
Filosofia	Philosophy
Lingue	Languages
Legge	Law
Chimica	Chemistry
Biologia	Biology
Farmacia	Pharmacy
Medicina	Medicine
Fisica	Physics
Economia	Economics
Informatica	Computing

Section 6 Greetings

buongiorno	good morning
buonasera	good evening
buonanotte	good night
ciao/salve	hi, hello/goodbye (inf)
arrivederci	goodbye (inf/for)
arrivederla	goodbye (very for)

Section 8

come si chiama?	what's your name? (for)
come ti chiami?	what's your name? (inf)
mi chiamo…	my name is…
di dov'è?	where are you from? (for)
di dove sei?	where are you from? (inf)
di dove esattamente?	where from exactly?
sono spagnolo	I'm Spanish
dove abita?	where do you live? (for)
dove abiti?	where do you live? (inf)
abito qui	I live here

Section 11 Nationalities

italiano/a	Italian
gallese	Welsh
tedesco/a	German
messicano/a	Mexican
portoghese	Portuguese
marocchino/a	Moroccan
svedese	Swedish
argentino/a	Argentinian
indiano/a	Indian
americano/a	American
brasiliano/a	Brazilian
svizzero/a	Swiss
austriaco/a	Austrian
inglese	English
albanese	Albanian
nigeriano/a	Nigerian
francese	French
turco/a	Turkish
olandese	Dutch
spagnolo/a	Spanish
greco/a	Greek
australiano/a	Australian
canadese	Canadian
sudanese	Sudanese
irlandese	Irish
cinese	Chinese
scozzese	Scottish
giapponese	Japanese
neozelandese	New Zealander
belga	Belgian
pakistano/a	Pakistani
danese	Danish
norvegese	Norwegian
tailandese	Thai
islandese	Icelandic
egiziano/a	Egyptian

Section 13

uno studente	a student (m)
una studentessa	a student (f)
sono di Manchester	I'm from Manchester
e	and
studiare	to study
studi	you study (inf)
terzo anno	third year
quest'anno	this year
faccio	I do
anche	also
un corso	a course
perché	because/why
un giorno	one day
andare	to go
vivere	to live
che cosa	what
rispondi	answer!
presto	soon

Grammar

alfabeto	alphabet
libro	book
fratello	brother
ragazzo/a	boy/girl
sorella	sister
città	city/town
nazionalità	nationality
Italia	Italy
sera	evening
notte	night
nome	name
residenza	residence

Lavoro di coppia/PARTNER WORK

A

1 Presentazioni/Introductions

Introduce yourself to your partner. After greeting him/her, tell him/her:

your name
your nationality
the town or city you come from
where you live
that you are a student
what you are studying

At the end your partner will check whether the information s/he has written down is correct. S/he will use the informal 'you'.

Useful words: **giusto** (right), **sbagliato** (wrong), **puoi ripetere**, **per favore**? (can you repeat that, please?)

And now swap roles.

2 Role-plays

a You are at the police station in Milan and you've lost your passport. The policeman on duty asks you for your personal details.

b You're at a party. You're extremely attracted to someone there. Ask as many questions as you can in order to make friends.

Buon divertimento!
Have fun!

Un paesino di montagna

Lavoro di coppia/PARTNER WORK

1 Presentazioni/Introductions

Greet your partner in Italian, then listen carefully to what s/he tells you, jotting down key words when it helps.

At the end, check the information with your partner by making a series of statements. Use the informal 'you': **Abiti a Manchester** 'You live in Manchester'. Your partner will then tell you whether you are correct or not.

Useful words: **giusto** (right), **sbagliato** (wrong), **puoi ripetere, per favore**? (can you repeat that, please?)

And now swap roles.

2 Role-plays

a You work at the police station in Milan and someone comes to you to report the loss of their passport. Ask the appropriate questions in order to fill in the form below.

> Nome: _____
>
> Nazionalità: _____
>
> Residenza: _____

b You're at a party. Someone approaches you and asks you about yourself.

Buon divertimento!
Have fun!

2 Al lavoro e in famiglia

By the end of this unit you will be able to ask and answer questions about jobs. You will also learn to ask and give personal information about somebody else, to talk about families and to count up to a hundred.

1 Fa' corrispondere l'inglese all'italiano/Match the English words with their Italian equivalent. Note that some names of jobs do not change between masculine and feminine.

the architect	il segretario/la segretaria
the translator	il traduttore/la traduttrice
the secretary	l'attore/l'attrice
the student	lo psicologo/la psicologa
the policeman/policewoman	l'insegnante
the psychologist	l'agente di polizia
the actor/actress	l'architetto
the teacher	lo zoologo/la zoologa
the zoologist	lo studente/la studentessa

il	**lo**	**la**	**l'**
Masculine	*Masculine*	*Feminine*	*Masculine/Feminine*
before consonant	before *s* + consonant	before consonant	before vowel
	before *ps, z, gn, y, x*		
il traduttore	**lo studente**	**la segretaria**	**l'attore**
il segretario	**lo psicologo**	**la psicologa**	**l'attrice**

2 Ascolta i dialoghi e riempi gli spazi/Listen to the dialogues and fill in the blanks.

a
A Come ti chiami?
B _____ .
A Sei italiano?
B Sì, di _____ e tu?
A Sono _____ . Che lavoro fai?
B Sono _____ e tu?
A Io faccio la _____ .

b
A Come si chiama?
B _____ .
A È americano?
B No, sono inglese e lei?
A Sono _____ .
B Che lavoro fa?
A Faccio l' _____ .

Asking in an informal context
Che lavoro fai? What do you do?

Asking in a formal context
Che lavoro fa? What do you do?

Talking about oneself

Sono + profession
Faccio + article + profession

Sono architetto. I am an architect.
Faccio l'architetto. I am an architect.

3 **Leggi la descrizione di Sophia Loren qui sotto e descrivi Leonardo Di Caprio secondo i dati**/Read Sophia Loren's profile below and write Leonardo Di Caprio's profile using the data provided.

Nome: **Sophia Loren**

Nazionalità: **italiana**

Professione: **attrice**

Residenza: **Ginevra**

Nome: **Leonardo Di Caprio**

Nazionalità: **americano**

Professione: **attore**

Residenza: **Los Angeles**

Si chiama Sophia Loren, è italiana,   _____
è attrice e abita a Ginevra.   _____

grammatica

Talking about somebody else

Si chiama Piero/Maria.	His/Her name is Piero/Maria.
Fa il medico.	He/She is a doctor.
Abita a Roma.	He/She lives in Rome.
È inglese.	He/She is English.

Note the difference: **è** he/she/it is; **e** and.

 4 **Ascolta Paul e Tom che parlano di Kate e riempi gli spazi**/Listen to Paul and Tom who are talking about Kate and fill in the gaps.

Paul	Tom
Come si chiama?	_____ .
E di dov'è?	Di _____ .
Ma dove abita?	A _____ .
E che lavoro fa?	Fa l'_____ .

grammatica

Asking about somebody else

Come si chiama?	What is his/her name?
Di dov'è?	Where is he/she from?
Dove abita?	Where does he/she live?
Che lavoro fa?	What does he/she do?

5 Ecco i numeri da zero a cento/Here are the numbers from zero to one hundred.

0 zero	8 otto	16 sedici	24 ventiquattro	40 quaranta
1 uno	9 nove	17 diciassette	25 venticinque	50 cinquanta
2 due	10 dieci	18 diciotto	26 ventisei	60 sessanta
3 tre	11 undici	19 diciannove	27 ventisette	70 settanta
4 quattro	12 dodici	20 venti	28 ventotto	80 ottanta
5 cinque	13 tredici	21 ventuno	29 ventinove	90 novanta
6 sei	14 quattordici	22 ventidue	30 trenta	100 cento
7 sette	15 quindici	23 ventitré	31 trentuno	

ventUNO   ventOTTO   trentUNO   trentOTTO ecc.   (not ventiuno, ventiotto, etc.)

6 Gioco. In gruppi di cinque, contate fino a 100. Il primo dice *uno*, il secondo *due* e così di seguito. Quando arrivate a un numero che contiene il *tre* o un multiplo di *tre*, invece di dire il numero, dite *Cin Cin*/Game. In groups of five, count from 0 to 100. The first person says **uno**, the second person says **due**, and so on. When you come to a number containing the number 3 or a multiple of 3, say **Cin Cin** (Cheers) instead of the number.

7 Leggi la lettera di Francesca al suo nuovo amico e completa le schede/Read Francesca's letter to her penfriend and complete the forms.

> Cara Paola,
> mi chiamo Francesca, sono italiana di Venezia, ma abito a Londra da tre anni. Ho ventitré anni e studio Medicina a Imperial College. Sono sposata da tre mesi con Mark. Mark ha venticinque anni, è irlandese di Cork e fa il traduttore. E tu che lavoro fai? Sei sposata? Quanti anni hai? Dove abiti? Qual è il tuo numero di telefono?
> A presto,
> Francesca
> P.S. Il mio indirizzo è: 25 Gray's Inn Road, London WC1X 7JE
>   e il mio numero di telefono è: 0207 278 6357

Nome: **Francesca**
Nazionalità: _____
Stato civile (marital status): _____
Età (age): _____
Professione: _____
Indirizzo (address): _____
Numero di telefono: _____

Nome: **Mark**
Nazionalità: _____
Stato civile: _____
Età: _____
Professione: _____
Indirizzo: _____
Numero di telefono: _____

8 Abbina le domande alle risposte/Match the questions to the answers.

Come ti chiami?   Ho ventitré anni.

Di dove sei?   Sono studentessa.

Dove abiti?   Sì.

Che lavoro fai?   Il mio numero di telefono è 0207 278 6357.

Sei sposata?   Abito a Londra.

Quanti anni hai?   Il mio indirizzo è: 25 Gray's Inn Road, London.

Qual è il tuo indirizzo?   Di Roma.

Qual è il tuo numero di telefono?   Francesca.

9 Ascolta una studentessa che dà i suoi dati anagrafici in questura e scrivi le risposte/Listen to a student giving her personal details at the police station and fill in the answers.

Il suo nome?   _____

Di dov'è?   _____

Quanti anni ha?   _____

Che lavoro fa?   _____

È sposata?   _____

Qual è il suo indirizzo?   _____

Qual è il suo numero di telefono?   _____

---

grammatica

Asking for personal details

Informally	Formally	
Quanti anni hai?	**Quanti anni ha?**	How old are you?
Sei sposato/a?	**È sposato/a?**	Are you married?
Qual è il tuo indirizzo?	**Qual è il Suo indirizzo?**	What is your address?
Qual è il tuo numero di telefono?	**Qual è il Suo numero di telefono?**	What is your phone number?

Sei/È sposato? refers to a man. **Sei/È sposata?** refers to a woman.

To form a question, you don't need to change the word order. A question mark will indicate a question is being asked. In speech, questions are indicated by a rising intonation.

Francesca è sposata. Francesca is married.

Francesca è sposata? Is Francesca married?

10 **Guarda l'albero genealogico e completa le frasi con le parole qui sotto**/Look at the family tree and complete the sentences below with the words in the box.

nonno grandfather	**nonna** grandmother	**madre** mother
padre father	**figlio** son	**figlia** daughter
fratello brother	**sorella** sister	**moglie** wife
marito husband	**zio** uncle	**zia** aunt

```
                    Giorgio  =  Eugenia


        Marco  =  Lucia    Enzo    Laura


Piero  =  Anna   Alberto   Ugo   Marta   Giulia   Paola


      Mario
```

a Lucia è la _____ di Marco.

b Enzo è il _____ di Lucia.

c Paola è la _____ di Giulia.

d Mario è il _____ di Piero e Anna.

e Piero è il _____ di Anna.

f Marta è la _____ di Marco e Lucia.

g Piero è il _____ di Mario.

h Anna è la _____ di Mario.

i Enzo è lo _____ di Marta.

j Laura è la _____ di Marta.

k Giorgio è il _____ di Anna, Alberto, Ugo, Marta, Giulia e Paola.

l Eugenia è la _____ di Anna, Alberto, Ugo, Marta, Giulia e Paola.

11 a **Ascolta Marta che parla della sua famiglia e riempi gli spazi/**
Listen to Marta talking about her family and fill in the gaps.

Sono Marta, ho ventidue anni e ho una famiglia numerosa. _____ padre si
chiama Marco e fa il medico e _____ madre si chiama Lucia e fa l'insegnante.
Ho tre sorelle, Giulia, Anna e Paola, e due fratelli, Alberto e Ugo. Anna ha trentadue
anni, è sposata con Piero e ha un figlio di tre anni, Mario. Anche _____ fratello
Ugo è sposato (e anche divorziato), ma non ha figli. _____ sorella Paola è la più
piccola, ha solo sette anni e abita con _____ nonna (_____ nonno abita
con un'altra donna). _____ madre ha un fratello, zio Enzo, e una sorella zia
Laura. Zia Laura abita a Londra e fa l'attrice.

b **Decidi se le affermazioni sono vere o false e correggi quelle
false/**Decide whether the statements are true or false and correct the
false ones.

	True	False
1 Marco è il marito di Lucia.	_____	_____
2 Marta abita con la nonna.	_____	_____
3 Lo zio Enzo ha due sorelle e un fratello.	_____	_____

grammatica

mio/tuo + *masculine noun*	**mia/tua** + *feminine noun*
mio padre my father	**mia madre** my mother
tuo fratello your brother	**tua sorella** your sister

	Singular nouns	Plural nouns
Masculine	**fratello**	**fratelli**
Feminine	**sorella**	**sorelle**

12 **Ascolta come Tom descrive la coppia che l'ha ospitato a Roma
e riempi gli spazi/**Listen to Tom describing the couple he stayed with
in Rome and fill in the gaps.

Questa è _____ Anna, è di Roma e ha
_____ anni. Questo è suo marito,
_____ Mautone, è di Milano, ha
_____ anni e fa _____

Referring to a third person	Calling somebody (in a formal context)
<u>il</u> **signor Mautone** Mr. Mautone	**'Signor Mautone!'** 'Mr. Mautone!'
<u>la</u> **signora Mautone** Mrs. Mautone	**'Signora Mautone!'** 'Mrs. Mautone!'

Extra!

13 **Ascolto**/Listening

Ascolta i dialoghi e prendi appunti seguendo l'esempio/Listen to the dialogues and take notes as in the example.

Maria	Mark	Luisa Terracciano	Kurt Geller
Italian from Turin			
lives in London			
teacher			

14 **Lettura**/Reading

Leggi e rispondi alle domande/Read and answer the questions below.

> Carissima Mara,
>
> come stai? Io sto benissimo ... Ieri ad una festa ho incontrato l'uomo della mia vita! Si chiama Ali, è iraniano ma abita a Londra. Ha trentadue anni, è architetto e ... è bellissimo! L'unico problema è che è sposato e non ancora divorziato. L'altra novità è che mia sorella Luisa ha un nuovo lavoro: ora fa la psicologa per l'Unità Sanitaria Locale di Siena. È il lavoro ideale per Luisa, non ti pare? E tu come stai? Che cosa fai? Come va il lavoro?
>
> A presto,
>
> Caterina

a What is the reason for Caterina's happiness?
b What does she say about Ali?
c What is the problem she mentioned?
d What happened to her sister?

15 **Scrittura**/Writing

Scrivi una lettera al tuo nuovo amico e descrivi la tua famiglia/Write a letter to your penfriend describing your family.

> Caro Francesco,
> come stai? Vuoi notizie della mia famiglia? Ecco ...

Grammatica/GRAMMAR

- **Definite articles** (the words for 'the')
  il   is used before *masculine* singular nouns starting with a *consonant*.
  lo   is used before *masculine* singular nouns starting either with *s + consonant* or *ps, z, gn, y, x.*
  l'   is used before *masculine* or *feminine* singular nouns starting with a *vowel*.
  la   is used before *feminine* singular nouns starting with a *consonant*.
  il segretario   lo zoologo   l'attore   l'attrice   la segretaria

- **Possessive adjectives** (my, your, etc.)
  – They are usually accompanied by the definite article following this order:
  article + possessive + noun.
  il mio ragazzo my boyfriend   **la mia ragazza** my girlfriend
  – They agree in gender and number with the noun they refer to and they usually come before the noun.
  il mio (m) **ragazzo** (m)   **la mia** (f) **ragazza** (f)
  – They are *not* accompanied by the definite article when they refer to family members in the singular.

mio	**padre**	my father	**Suo**	**fratello**	your brother (formal)
mia	**madre**	my mother	**Sua**	**sorella**	your sister (formal)
tuo	**fratello**	your brother (informal)	**suo**	**fratello**	his/her brother
tua	**sorella**	your sister (informal)	**sua**	**sorella**	his/her sister

- **Nouns**
  Nouns have a number: singular or plural.
  – Masculine singular nouns ending in **o** change into **i** in the plural.
  fratello   fratelli
  – Feminine singular nouns ending in **a** change into **e** in the plural.
  sorella   sorelle
  – Singular nouns ending in **e**, whether masculine or feminine, change into **i** in the plural.
  padre   padri   or   **madre   madri**

- **Verbs**
  Here is the present tense of the verbs **fare** 'to do/make' and **avere** 'to have'.

(io) faccio	I do/make		**(io) ho**	I have
(tu) fai	you do/make		**(tu) hai**	you have
(Lei) fa	you do/make		**(Lei) ha**	you have
(lui/lei) fa	he/she does/makes		**(lui/lei) ha**	he/she has

  Notice that **fa** means 'you do' (formal) and also 's/he does'. Similarly **ha** means 'you have' (formal) and also 's/he has'. This applies to all verbs.

Carlo abita a Roma.	Carlo lives in Rome.
Signor Amato, Lei abita a Roma?	Mr Amato, do you live in Rome?
Ann è inglese.	Ann is English.
Signora Bini, Lei è inglese?	Mrs. Bini, are you English?

Esercizi di grammatica/GRAMMAR EXERCISES

Definite articles

1 Complete with the appropriate definite articles.

_____ insegnante, _____ studente, _____ studentessa, _____ cameriere,

_____ scrittore, _____ attore, _____ attrice, _____ ingegnere, _____ medico,

_____ infermiera, _____ cameriera, _____ psicologa, _____ zoologa,

_____ commesso, _____ ragioniere, _____ casalinga, _____ modella

Verbs

2 Form sentences as in the example.

Marco/italiano/Parigi/28 anni/commesso.
Marco è italiano, abita a Parigi, ha 28 anni e fa il commesso.

a Lisa/brasiliana/Roma/25 anni/studentessa di Medicina.
b Theresa/australiana/Sydney/41 anni/assistente sociale.
c Bernd/Heidelberg/33 anni/tedesco/ingegnere.
d Simone/Tel Aviv/29 anni/italiano/biologo.

Personal questions

3 Write the formal and informal questions for the following answers as in the example.

	Informal	Formal	Answers
	Come ti chiami?	Come si chiama?	Laura.
a			23 anni.
b			885 3193.
c			Di Roma.
d			Via Puccini 5.
e			Sì, sono sposata.
f			Sono medico.

Possessive adjectives

4 Fill the gaps with the appropriate possessive adjectives.

a Signora Benetti, come si chiama _____ madre?
b Ho una sorella e un fratello. _____ fratello abita a Parigi e _____ sorella abita a Varese.
c Carlo, _____ fratello che lavoro fa?
d Professore, di dov'è _____ moglie?

Plurals

5 Transform the singular nouns into plural and vice versa.
architetto, medico, studente, commessa, nonni, zii, zie, padri, traduttrice, nonne

Glossario/GLOSSARY

Section 1 Nouns – professions
la professione	the profession
il lavoro	job/work
architetto	architect
traduttore/traduttrice	translator
segretario/a	secretary
studente/studentessa	student
agente di polizia	policeman/woman
psicologo/a	psychologist
attore/attrice	actor/actress
insegnante	teacher
zoologo/a	zoologist

Section 2 Verbs
fare	to do/make
che lavoro fai?	what do you do? (inf)
che lavoro fa?	what do you do? (for)
faccio l'architetto	I am an architect
sono architetto	I am an architect

Section 7
ma	but
abito a Londra da 3 anni	I've been living in London for 3 years
avere	to have
ho 23 anni	I am 23
ha 25 anni	s/he is 25
sei sposato/a?	are you married?
quanti anni hai?	how old are you?
qual è il tuo numero di telefono?	what's your telephone number?
qual è il tuo indirizzo?	what's your address?
il mio indirizzo è …	my address is …
il mio numero di telefono è …	my telephone number is …
stato civile	marital status
età	age

Section 9 Formal questions
il suo nome?	your name?
quanti anni ha?	how old are you?
che lavoro fa?	what do you do?
è sposato/a?	are you married?
qual è il suo indirizzo?	what's your address?
qual è il suo numero di telefono?	what's your telephone number?

Section 11
una famiglia numerosa	a large family
il medico	the doctor
anche	also
divorziato	divorced
non ha figli	s/he does not have children
la più piccola	the youngest
solo	only
con	with
un'altra donna	another woman

Section 14
carissima…	dearest…
come stai?	how are you?
io sto benissimo	I'm very well
ieri	yesterday
ad una festa	at a party
ho incontrato	I've met
l'uomo della mia vita	the man of my life
bellissimo	very attractive
l'unico problema	the only problem
non ancora	not yet
un nuovo lavoro	a new job
ora	now
per	for
Unità Sanitaria Locale	local health service
ideale	ideal
non ti pare?	don't you think?
come va?	how is it going?
a presto	see you soon

Grammar exercises
cameriere/cameriera	waiter/waitress
scrittore	writer
ingegnere	engineer
infermiere/infermiera	nurse (m/f)
commesso/a	shop assistant
ragioniere	bookkeeper
casalinga	housewife
modello/a	model
assistente sociale	social worker
biologo	biologist

Partner work
stilista	fashion designer
calciatore	football player

Lavoro di coppia/PARTNER WORK

1 **Presentazioni**/Introductions

Introduce these two
famous characters to
your partner using the
prompts below. Be
aware there are some
mistakes! Your partner
has the task of
correcting them.

Name: **Giorgio Armani**
Nationality: **Italian**
Birthplace: **Piacenza**
Town of residence: **Milan**
Profession: **model**

Name: **Ronaldo**
Nationality: **Argentinian**
Birthplace: **Rio di Janeiro**
Town of residence: **Milan**
Profession: **footballer**

Now swap roles and identify the mistakes in your partner's descriptions.
Useful expressions: **sbagliato** (wrong), **non è vero** (it is not true).
Note also: **Margaret Thatcher è un ex-Primo Ministro.**

2 This is your partner's family tree. Some details are missing. Complete by asking the appropriate questions. Use the **tu** form (informal context).

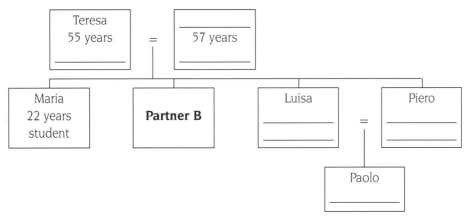

Now swap roles and answer your partner's questions about your family by looking at the
family tree below.

Lavoro di coppia/PARTNER WORK

1 **Presentazioni**/Introductions

Listen to your partner introducing two famous characters. Some of their details are wrong. Identify the mistakes and correct them.
Useful expression: **sbagliato** (wrong), **non è vero** (it is not true).

Now swap roles and introduce the two famous characters on the right. Again, there are some errors.

Name: **Margaret Thatcher**
Nationality: **British**
Birthplace: **Grantham**
Town of residence: **London**
Profession: **model**

Name: **Claudia Schiffer**
Nationality: **German**
Birthplace: **Düsseldorf**
Town of residence: **New York**
Profession: **zoologist**

2 Imagine this is your family tree. Answer your partner's questions about your family.

Now swap roles and complete your partner's family tree below by asking the appropriate questions. Use the **tu** form (informal context).

Una giornata tipica

By the end of this unit you will be able to ask and answer questions about your daily routine, ask and give the time, and inquire about opening and closing times. You will also learn the days of the week and how to talk about different parts of the day.

 1 **Che ora è? Che ore sono? Guarda gli orari, ascolta e ripeti**/What time is it? Look at the clocks, listen and repeat.

Sono le tre.

Sono le tre e cinque.

Sono le tre e dieci.

Sono le tre e un quarto.

Sono le tre e venti.

Sono le tre e venticinque.

Sono le tre e mezza.

Sono le tre e trentacinque.

Sono le quattro meno venti.

Sono le quattro meno un quarto.

Sono le quattro meno dieci.

Sono le quattro meno cinque.

Sono le quattro.

È l'una.

È mezzogiorno.

È mezzanotte.

2 Trova l'orologio/Match the clocks with the times.

a   b   c

d   e   f

☐ Sono le otto. ☐ Sono le due meno venti. ☐ Sono le cinque e mezza.

☐ È l'una. ☐ Sono le quattro e ☐ Sono le sei meno dieci.
 un quarto.

3 Che ora è? Che ore sono? Ascolta e scrivi che ore sono/Listen and write the time in the blanks. The first one is done for you.

a 5.10 b _____ c _____ d _____ e _____ f _____ g _____

Asking the time	Telling the time
Che ora è? Che ore sono?	**È l'una. È mezzogiorno. È mezzanotte.**
What time is it?	It's one o'clock. It's midday. It's midnight.
	Sono le due/le tre/le quattro.
	It is two/three/four o'clock.
	Sono le due e un quarto/meno un quarto/e mezza.
	It's a quarter past/a quarter to/half past two.

grammatica

Un orologio nel parco

4 Fa' corrispondere l'inglese all'italiano/Match the English words with the Italian equivalent.

the bank	la segreteria
the supermarket	il museo
the discotheque	la biblioteca
the museum	l'ufficio informazioni
the faculty office	la discoteca
the library	l'archivio
the canteen	l'edicola
the archive	la banca
the information desk	il supermercato
the newsagent's	la mensa

5 Ora guarda il plurale dei nomi e degli articoli. Qual è la regola?/ Now look at the plurals of nouns and articles. Can you work out the rules?

le segreterie, le discoteche, le biblioteche, le mense, le banche, le edicole, gli archivi, i supermercati, gli uffici, gli archivi, i supermercati, i musei

Ponte Vecchio, Firenze

<u>Plurals</u>

i	**gli**	**le**
Masculine before consonant	*Masculine* before vowel	*Feminine* before consonant and vowel
i musei	**gli uffici**	**le segreterie**
i supermercati	**gli archivi**	**le edicole**

Gli is also used before plural masculine nouns starting with *s* + consonant, *ps, z, gn, y, x*:
gli studenti   gli psicologi   gli zoologi   gli gnocchi

grammatica

6 **Ascolta i dialoghi e riempi gli spazi**/Listen to the dialogues and fill in the blanks.

a A Scusi, a che ora apre _____ ?
  B Apre alle _____ .
  A E a che ora chiude?
  B Alle _____ .

b A Scusa, a che ora aprono _____ ?
  B Aprono alle _____ .
  A E a che ora chiudono?
  B Alle _____ .

grammatica

Asking for opening and closing times

A che ora apre la segreteria?	At what time does the faculty office open?
A che ora chiude il supermercato?	At what time does the supermarket close?
A che ora aprono le banche?	At what time do banks open?
A che ora chiudono le edicole?	At what time do newsagents close?

Answering

(La segreteria) apre alle 9.	(The faculty office) / it opens at 9.
(Il supermercato) chiude alle 7.	(The supermarket) / it closes at 7.
(Le banche) aprono alle 8.	(The banks) / they open at 8.
(Le edicole) chiudono alle 3.	(The newsagents) / they close at 3.

Use **Scusi** 'Excuse me' in a formal context.
Use **Scusa** 'Excuse me' in an informal context.

7 **Chiedi al tuo/alla tua partner gli orari di apertura e chiusura dei seguenti posti nel suo paese d'origine**/Ask your partner for the opening and closing times of the following places in his/her country of origin. Note that some are singular and some are plural.

le banche   la biblioteca   i bar   i supermercati   le discoteche   i musei   la mensa

Parts of the day		Linking words	
la mattina	in the morning	**poi**	then
il pomeriggio	in the afternoon	**dopo**	after
la sera	in the evening	**e**	and
la notte	at night		

Meals			
la colazione	breakfast	**fare colazione**	to have breakfast
il pranzo	lunch	**pranzare**	to have lunch
la cena	dinner/supper	**cenare**	to have dinner/supper

8 Ascolta Lara che racconta la sua giornata tipica e riempi gli spazi/Listen to Lara describing her typical day and fill in the blanks.

La mattina
La mattina, mi alzo *alle otto*; faccio colazione _____ _____ faccio la doccia. _____ _____ esco di casa _____ vado all'università.

Il pomeriggio
Pranzo _____ _____ ____ _____ , _____ studio in biblioteca fino _____ _____ , _____ ___ _____ . _____ torno a casa _____ mi riposo: ascolto la radio, leggo o guardo la TV.

La sera
La sera, ceno _____ _____ , _____ esco con gli amici.

La notte
Torno a casa _____ mezzanotte _____ vado a dormire.

Al mercato

9 **Fa' corrispondere la prima persona dei verbi alla forma dell'infinito**/Match the first person of the verbs ('I' form) with the infinitive form.

First person	Infinitive	
vado ————————————→	andare	to go
faccio la doccia	uscire	to go out
torno	fare colazione	to have breakfast
ceno	riposarsi	to rest
pranzo	cenare	to have dinner
mi alzo	studiare	to study
esco	fare la doccia	to take a shower
mi riposo	pranzare	to have lunch
studio	tornare	to return
faccio colazione	alzarsi	to get up

grammatica

	Infinitive	First person
Regular verbs	**pranzare** to have lunch	**pranzo** I have lunch
	cenare to have dinner	**ceno** I have dinner
	tornare to come back	**torno** I come back
	studiare to study	**studio** I study
Reflexive verbs	**alzarsi** to get up	**mi alzo** I get up
	riposarsi to rest	**mi riposo** I rest
Irregular verbs	**andare** to go	**vado** I go
	uscire to go out	**esco** I go out
	fare to make, to do	**faccio** I make, I do

10 Scrivi a che ora fai queste cose/Write at what time you do these things.

a A che ora ti svegli?   Mi sveglio _____

b A che ora ti alzi?   Mi alzo _____

c A che ora ti lavi?   Mi _____

d A che ora fai colazione?   Faccio _____

e A che ora vai all'università? _____

f A che ora pranzi?   _____

g A che ora studi?   _____

h A che ora ceni ?   _____

i A che ora guardi la TV?   _____

j A che ora vai a dormire?   _____

11 Descrivi la tua giornata tipica al tuo/alla tua partner/Describe your typical day to your partner.

12 Ascolta Giulia che descrive la giornata di sua figlia Giorgia e riempi gli spazi/Listen to Giulia describing her daughter Giorgia's day and fill in the blanks.

Giorgia si alza tardi, _____ le dieci e non fa colazione. Esce di _____ verso le undici e va al lavoro. _____ due pranza al ristorante. Dalle quattro alle sei e mezza lavora, _____ torna a casa, si riposa, _____ fa la doccia. Verso le nove esce con il ragazzo. Torna a casa dopo mezzanotte.

grammatica

	Infinitive	Third person – s/he
Regular verbs	**pranzare** to have lunch	**pranza** s/he has lunch
	cenare to have dinner	**cena** s/he has dinner
	tornare to come back	**torna** s/he comes back
	studiare to study	**studia** s/he studies
Reflexive verbs	**alzarsi** to get up	**si alza** s/he gets up
	riposarsi to rest	**si riposa** s/he rests
Irregular verbs	**andare** to go	**va** s/he goes
	uscire to go out	**esce** s/he goes out
	fare to make, to do	**fa** s/he makes/does

To make a negative sentence, simply add **non** in front of the verb.
Giorgia non fa colazione. Giorgia doesn't have breakfast.

13 **Ecco i giorni della settimana**/Here are the days of the week.

lunedì	Monday	**martedì**	Tuesday	**mercoledì**	Wednesday
giovedì	Thursday	**venerdì**	Friday	**sabato**	Saturday
domenica	Sunday				

Note that the days of the week are masculine with the exception of **la domenica**, which is feminine.

14 **Scrivi che cosa fai in questi momenti**/Write what you do at these times.

il lunedì mattina, il martedì sera, il mercoledì pomeriggio, il giovedì notte, il venerdì sera, il sabato notte, la domenica pomeriggio

Il lunedì mattina vado all'università.

15 **Ora riferisci al tuo/alla tua partner ciò che fai e scopri che cosa fa lui/lei. Prendi appunti**/Now tell your partner what you do and find out what he/she does. Take notes.

Il martedì sera vado a ballare. E tu, cosa fai?

16 **Lavora con un altro/un'altra partner. Riferisci le attività del/della partner precedente in dettaglio**/Swap partner; report to him/her your previous partner's activities in detail.

Jean va in piscina il giovedì sera alle 7.

Il lunedì sera esco con gli amici.	On Monday evening (every Monday) I go out with my friends.
Lunedì sera vado al cinema.	Monday evening (this Monday) I go to the cinema.

A cena con gli amici

Extra!

 17 Ascolto/Listening

Ascolta i dialoghi e scrivi gli orari di apertura e chiusura/Listen to the dialogues and write the opening and closing time of some of the following places.

	Open	**Close**
Bar		
Negozi		
Discoteca		
Banca		
Ufficio informazioni		
Segreteria		
Mensa		
Biblioteca		

 18 Ascolto/Listening

Ascolta il dialogo e prendi nota in inglese delle attività e degli orari di Francesca/Listen to the dialogue and take notes in English on Francesca's day under the following headings.

Morning	**Afternoon**	**Evening**	**Night**
She gets up at 8 …			

19 Scrittura/Writing

Scrivi una lettera al tuo nuovo amico di penna, Davide, descrivendogli la tua giornata tipica e chiedendogli informazioni sulla sua routine quotidiana/Write a letter to your pen pal, Davide, in which you describe your daily routine and ask questions about his day.

Grammatica/GRAMMAR

- **Plural definite articles** (the words for 'the')

  i   is used before *masculine* plural nouns starting with a *consonant.*

  gli   is used before *masculine* plural nouns starting with a *vowel* or with s + *consonant* or *ps, z, gn, y, x.*

  le   is used before *feminine* plural nouns starting with a *consonant* or a *vowel.*

  i musei   gli studenti   gli uffici   gli psicologi   gli zoologi   gli gnocchi gli yogurt   gli xilofoni   le banche   le edicole

- **Regular verbs**

  Italian has three main verb patterns: **-are, -ere, -ire** e.g. torn**are**, prend**ere**, dorm**ire**.
  The present tense of regular verbs is formed by dropping the infinitive ending **-are, -ere, -ire** and adding endings to the verb stem as follows:

	torn**are**	prend**ere**	dorm**ire**
(io I)	torn**o**	prend**o**	dorm**o**
(tu *you*)	torn**i**	prend**i**	dorm**i**
(lui/lei/esso/essa *he/she/it*)	torn**a**	prend**e**	dorm**e**
(noi *we*)	torn**iamo**	prend**iamo**	dorm**iamo**
(voi *you plural*)	torn**ate**	prend**ete**	dorm**ite**
(loro *they*)	torn**ano**	prend**ono**	dorm**ono**

- **Reflexive verbs**

  These are conjugated like any other regular verb. However, you must remember to add the reflexive pronoun (**mi**, **ti**, etc.) in front of each verb form.

	alz**arsi**	mett**ersi**	vest**irsi**
(io)	**mi** alz**o**	**mi** mett**o**	**mi** vest**o**
(tu)	**ti** alz**i**	**ti** mett**i**	**ti** vest**i**
(lui/lei)	**si** alz**a**	**si** mett**e**	**si** vest**e**
(noi)	**ci** alz**iamo**	**ci** mett**iamo**	**ci** vest**iamo**
(voi)	**vi** alz**ate**	**vi** mett**ete**	**vi** vest**ite**
(loro)	**si** alz**ano**	**si** mett**ono**	**si** vest**ono**

- **Some irregular verbs**

	andare	**fare**	**uscire**
(io)	vado	faccio	esco
(tu)	vai	fai	esci
(lui/lei)	va	fa	esce
(noi)	andiamo	facciamo	usciamo
(voi)	andate	fate	uscite
(loro)	vanno	fanno	escono

Esercizi di grammatica/GRAMMAR EXERCISES

Definite articles

1 Put the appropriate definite article in front of the following nouns.

_____ fratelli, _____ sorelle, _____ amici, _____ zii, _____ figli, _____
genitori, _____ nonni, _____ nonne, _____ amiche _____ studentesse,
_____ studenti, _____ medici, _____ edicole, _____ insegnanti, _____
psicologi, _____ uffici, _____ zie, _____ architetti

The time

2 Fill in the gaps with the appropriate form of the verb **essere**.

a _____ mezzogiorno.

b Che ore _____? _____ l'una e mezza, ora di pranzo.

c _____ le due meno dieci.

d Che ora _____? _____ le dodici.

e Ciao! Ora devo andare perché _____ tardi, _____ già le undici.

f Ho sonno … Che ore _____? _____ mezzanotte in punto.

Verbs

3 Complete the sentences with the appropriate form of the regular verbs in brackets.

a Il sabato sera (io/cenare) _____ al ristorante.

b La mattina (noi/studiare) _____ in biblioteca.

c A che ora (tu/tornare) _____ a casa?

d Signor Rossi, che cosa (fare) _____ la domenica?

e Marco (dormire) _____ fino a mezzogiorno.

4 Complete the text with the appropriate form of the reflexive verbs.

(Io/chiamarsi) _____ Marta e abito con il mio ragazzo che (chiamarsi)
_____ Matteo. Il fine settimana Matteo (alzarsi) _____
presto, (lavarsi) _____. Poi prepara la colazione anche per me. Io (riposarsi)
_____ fino a mezzogiorno, poi vado a lavorare, lavoro tutto il giorno ma la
sera (divertirsi) _____. (Io/uscire) _____ con gli amici.
Matteo invece (lavorare) _____ in un bar fino a tardi.

5 Fill in the blanks with **fare, andare,** or **uscire**. Use the appropriate form.

a Il venerdì sera _____ con il mio ragazzo.

b Lunedì Maria _____ in vacanza.

c Il sabato mia sorella _____ colazione a letto.

d A che ora (tu) _____ la doccia la mattina?

e (Tu) _____ con i tuoi amici la domenica?

f La mattina (io) _____ in biblioteca.

3 Una giornata tipica

Glossario/GLOSSARY

Section 8

uscire di casa	to leave home
andare all'università	to go to college
studiare in biblioteca	to study in the library
tornare a casa	to return home
guardare la TV	to watch TV
uscire con gli amici	to go out with friends
andare a dormire	to go to bed

Section 10

a che ora …?	at what time …?

Section 12

tardi	late
verso	approximately
non fa colazione	s/he does not have breakfast
andare al lavoro	to go to work
pranzare al ristorante	to eat in a restaurant
dalle quattro alle sei e mezza	from 4 to 6.30
dopo mezzanotte	after midnight

Grammar exercises

dormire	to sleep
ora di pranzo	lunchtime
ho sonno	I am sleepy
fino a	until/as far as
che	which/that
il fine settimana/weekend	the weekend
presto	early
tardi	late
lavarsi	to wash oneself
prepara la colazione	he prepares breakfast
anche per me	for me too
tutto il giorno	the whole day/all day long
divertirsi	to enjoy oneself/to have fun
invece	on the contrary
fino a tardi	till late
in vacanza	on holiday
a letto	in bed

Further practice

città di provenienza	place of origin
impiegata statale	civil servant
commerciante	shopkeeper
la più giovane	the youngest
nipotino/a	nephew/niece
fuori corso	a student who is repeating one or more academic years
morto	dead
commesso/a	shop assistant
negozio di scarpe	shoe shop
assistente sociale	social worker
grazie della tua lettera	thanks for your letter
vuoi sapere come …?	do you want to know how … (inf)?
ti descrivo …	I'd like to describe
prende sempre un cornetto	he always has a croissant
dopo pranzo	after lunch
negozi	shops
chiusi	closed/shut down
viene a prendermi	he comes to pick me up
usciamo insieme	we go out together
andiamo in palestra	we go to the gym
qualche volta	sometimes/occasionally
andiamo a teatro	we go to the theatre
ci sono	there are
odia ballare	s/he hates dancing
che peccato!	what a pity!/shame!
perciò	so/therefore
sono stanca	I'm tired
grazie a	thanks to
però	but
il mio italiano migliora sempre di più	my Italian improves all the time/more and more
è il modo migliore d'imparare	it's the best way to learn
ti saluto	all the best
a presto	see you soon/speak to you later

Lavoro di coppia/PARTNER WORK

A

1 Ask your partner what the time is in the following places and write it in the clocks.
Che ore sono a Londra? or *Che ora è a Londra?*

Londra   [:]   Sydney   [:]

New York   [:]   Istanbul   [:]

Roma   [:]

Now swap roles and tell your partner what the time is in the following places.
A Parigi sono le dodici e trenta.

Parigi   `12:30`   Tokyo   `20:15`

Pechino   `19:20`   Atene   `13:45`

Los Angeles   `06:35`

2 Fill in the clocks in the **You** column with your daily routine. Then find out about your partner's routine, asking the appropriate questions, and fill in the **Your partner** column.

	You	Your partner
alzarsi	[:]	[:]
fare la doccia	[:]	[:]
fare colazione	[:]	[:]
uscire di casa	[:]	[:]
pranzare	[:]	[:]
studiare	[:]	[:]
cenare	[:]	[:]
andare a dormire	[:]	[:]

Lavoro di coppia/PARTNER WORK   B

1 Tell your partner what the time is in the following places.
A *Londra sono le dieci e venti.*

Londra	10:20	Sydney	20:50
New York	05:10	Istanbul	12:55
Roma	11:25		

Now swap roles, ask your partner what the time is in the following places and write it in the clocks.
Che ore sono a Parigi? or *Che ora è a Parigi?*

Parigi	:	Tokyo	:
Pechino	:	Atene	:
Los Angeles	:		

2 Fill in the clocks in the **You** column with your daily routine. Then find out about your partner's routine, asking the appropriate questions, and fill in the **Your partner** column.

	You	Your partner
alzarsi	:	:
fare la doccia	:	:
fare colazione	:	:
uscire di casa	:	:
pranzare	:	:
studiare	:	:
cenare	:	:
andare a dormire	:	:

Il tempo libero

By the end of this unit you will be able to talk about likes and dislikes, to express agreement or disagreement and to discuss preferences. You will also be able to say how you spend your free time and how often you do certain activities.

 1 **Guarda le figure, ascolta i dialoghi e completali**/Look at the pictures, listen to the dialogues and complete the sentences.

a A Luisa, che cosa ti piace fare la domenica?
   B Mi piace _____ e _____ .

b A Carlo, ti piace cucinare?
   B Sì, mi piace _____ e _____ .

c A Giovanni, che cosa ti piace fare la sera?
   B Mi piace _____ e poi _____ .

andare a ballare

uscire con gli amici

andare a teatro

andare al cinema

cucinare

fare una passeggiata

andare in palestra

leggere

guardare la TV

Asking somebody what s/he likes doing

Informally
Ti piace leggere?

Formally
Le piace leggere?

Do you like reading?

2 **Aiutandoti con le illustrazioni dell'esercizio 1, chiedi a cinque compagni quali sono i loro interessi**/Look at the pictures in section 1 and find out what five of your classmates like doing.

A Ti *piace cucinare?*
B Sì / No.

3 **Ascolta e abbina le affermazioni di Anna alle reazioni di Beatrice**/ Listen and match the statements with the responses as in the example.

Anna	Beatrice
a Mi piace tanto ballare.	A me sì.
b Non mi piace per niente leggere.	Neanche a me.
c Non mi piace andare a teatro.	Anche a me.
d Mi piace molto andare in palestra.	A me no.
e Mi piace cucinare.	Anche a me.

4 **Ora dividi le battute di Beatrice in due categorie: accordo e disaccordo**/Now look at Beatrice's replies, decide whether they express agreement or disagreement, and write them under the appropriate column below.

Accordo / Agreement   **Disaccordo** / Disagreement

Anche a me. _____   _____

_____   _____

5 **Con un/una partner trova una battuta appropriata per ciascuna delle seguenti espressioni**/With your partner find a suitable statement which could elicit the following replies.

You   **Your partner**
a _____   Anche a me.
b _____   Neanche a me.
c _____   A me sì.
d _____   A me no.

	Statement	Agreement	Disagreement
Affirmative	**Mi piace ballare.**	**Anche a me.**	**A me no.**
Negative	**Non mi piace ballare.**	**Neanche a me.**	**A me sì.**

6 Ascolta e completa le frasi con *piace* o *piacciono*/Listen and complete the sentences with either **piace** or **piacciono**.

Mi _____ i gelati. Mi _____ il vino. Non mi _____ la pasta.
Mi _____ i ragazzi italiani. Non mi _____ i film americani.

7 *Piace* o *piacciono*? Guarda le figure e deduci quando usare *piace* e *piacciono*/Look at the pictures below. When do we use **piace** and **piacciono**?

Mi piace la pizza.

Mi piacciono le banane.

Non mi piace la Coca Cola.

Non mi piacciono le fragole.

grammatica

Mi/ti piace + singular nouns	**Mi/ti piacciono** + plural nouns
Mi piace la pizza. I like pizza.	**Mi piacciono le banane.** I like bananas.
Ti piace il caffè? Do you like coffee?	**Ti piacciono le mele?** Do you like apples?

8 Metti in ordine di preferenza le espressioni qui sotto, aiutandoti con il glossario/With the help of the glossary, number the following expressions in order of preference from one to five.

a Mi piace un sacco/moltissimo leggere. ☐1 **d** Mi piace abbastanza leggere. ☐

b Non mi piace molto leggere. ☐ **e** Mi piace molto/tanto leggere. ☐

c Non mi piace per niente leggere. ☐

9 Chiedi al tuo/alla tua partner se gli/le piacciono le seguenti cose e di' se sei d'accordo o no/Ask your partner whether he/she likes the following things and tell him/her whether you agree or not.

il vino   il formaggio   i gelati   le macchine veloci   i pomodori secchi   la mozzarella
i quadri di Picasso   la musica classica

A **Ti piace il vino?**
B **Sì, molto.**
A **Anche a me.**

10 **Guarda le battute del dialogo qui sotto e, con l'aiuto di un/una partner, mettile in ordine numerando le caselle**/Look at the dialogue below. With the help of a partner rearrange it in the right order.

☐ Che facciamo stasera?

☐ Ma costa troppo.

☐ Veramente? A me sì, tantissimo. Allora che facciamo?

☐ Andiamo in discoteca?

☐ A me no, io preferisco andare a teatro.

☐ A me piace molto andare al cinema.

☐ No, non mi piace ballare!

☐ Ah … è vero. Allora rimaniamo a casa.

☐ E guardiamo la TV come al solito!

11 **Ora ascolta il dialogo e verifica**/Now listen to the dialogue and see if you were right.

12 **Ascolta e metti un cerchio attorno a ciò che preferisce Lucia**/ Listen and circle the things that Lucia prefers.

a tè – caffè
b birra – vino
c cinema – teatro
d pizza – pasta
e Londra – Roma
f Coca Cola – aranciata

13 **Chiedi al tuo/alla tua partner che cosa preferisce tra le cose dell'esercizio 12. Ricorda di aggiungere l'articolo determinativo, se necessario**/Ask your partner what he/she prefers amongst the choices listed above. Remember to add the right article when needed.

Preferisci il tè o il caffè?

Asking somebody about his/her preferences		
Informally	Formally	
Preferisci il tè o il caffè?	**Preferisce il tè o il caffè?**	Do you prefer tea or coffee?
	Answering	
	Preferisco il caffè.	I prefer coffee.

14 **Metti gli avverbi in ordine di frequenza, poi controlla con la cassetta**/Place the following expressions of frequency in the correct order along the line. Then check with the recording.

sempre	mai

quasi mai   ogni tanto   molto spesso

raramente   spesso   qualche volta

15 **Ascolta e riempi gli spazi**/Listen and fill in the gaps.

Sono Carla, una studentessa di Legge all'università di Cosenza, ma non mi piace studiare, infatti _____ studio _____ . _____ vado alle lezioni, _____ studio in biblioteca, _____ da sola e _____ con i miei amici. Di solito pranzo a casa, però _____ vado in mensa. La sera _____ esco con gli amici, _____ andiamo a ballare. _____ vado _____ a letto prima delle due perché torno _____ a casa tardi.

16 **Con quale frequenza fai queste cose? Scrivi una frase per ciascuna figura**/How often do you do these things? Write a sentence for each picture.

Il lunedì sera vado sempre al cinema.

grammatica

Expressing frequency

sempre	Vado **sempre** al cinema.
spesso/molto spesso/raramente	Vado **spesso/molto spesso/raramente** al ristorante.
ogni tanto/di solito/qualche volta	**Ogni tanto/Di solito/Qualche volta** guardo la TV.
non...mai/quasi mai	**Non** vado **mai/quasi mai** in discoteca.

17 **Scrivi con quale frequenza fai queste cose**/Write how often you do these things.

Vai mai al cinema?

Vai mai a teatro?

Vai spesso al pub?

18 **Ascolta le interviste e scrivi le domande**/Listen to the interviews and write the questions.

a _____? No, mai.

b _____? Sì, qualche volta.

c _____? Sì, molto spesso.

d _____? No, quasi mai.

19 **Fa' un sondaggio e segna (✓) con quale frequenza cinque dei tuoi compagni fanno queste cose**/Do a survey to find out how often five of your classmates do the things below.

	sempre	spesso	qualche volta	quasi mai	mai
andare al cinema					
andare in discoteca					
leggere il giornale					
andare in palestra					

Asking how often people do things

Informally	Formally	
Vai mai a teatro?	**Va mai a teatro?**	
		How often do you go to the theatre?
Vai spesso a teatro?	**Va spesso a teatro?**	

Extra!

20 **Ascolto**/Listening

Ascolta il dialogo e prendi appunti in inglese/Listen to the dialogue and write notes in English.

		Likes	Dislikes	Why?
Cinema	Mario			
	Elena			
Theatre	Mario			
	Elena			
Restaurant	Mario			
	Elena			
Gym	Mario			
	Elena			

21 **Lettura**/Reading

Leggi la lettera d'amore anonima che Susanna ha ricevuto e decidi se le affermazioni sono vere o false. Correggi quelle false/Read the love letter to Susanna from an anonymous admirer and decide whether the statements below are true or false. Correct the false ones.

> Carissima Susanna,
> scusami se ti scrivo ancora, so che tu non ricambi il mio amore, ma ti scrivo perché desidero comunicarti che ti sogno sempre, ti penso continuamente e ... ti amo perdutamente! Penso di avere veramente perso la testa (è la prima volta che mi succede una cosa simile!) e non so cosa fare. Tu sei la donna dei miei sogni, amo tutto di te ... Mi piacciono da morire i tuoi occhi grandi e i tuoi capelli lunghi, adoro il tuo sorriso dolce e la tua voce sexy. Ma tu, bellissima Susanna, non sei solo attraente fisicamente! Ammiro profondamente la tua intelligenza, la tua simpatia, la tua allegria, insomma tutto ma proprio tutto di te!!! L'unica cosa che non mi piace di te è la tua indifferenza. Ricordati però che l'amore è una ... malattia contagiosa!
>
> Ti abbraccio,   S.

	True	False
a Susanna is not in love with S.	_____	_____
b S. suffers from insomnia.	_____	_____
c It's the first time that S. is in love.	_____	_____
d S. is sexy.	_____	_____
e S. has a contagious illness.	_____	_____

Grammatica/GRAMMAR

- The verb **piacere**
  - The verb **piacere** (to like) is literally equivalent to the English 'to be pleasing to'.
    Mi piace ballare.   I like dancing. (literally: dancing is pleasing to me.)
  - Note the two different constructions:
    mi/ti/Le piace + infinitive
    where **piacere** is used only in the third person singular.
    Mi piace dormire.   I like sleeping.

    mi/ti/Le piace + singular noun
    mi/ti/Le piacciono + plural noun
    where **piacere** is used in the third person singular (**piace**) or third person plural (**piacciono**) according to whether the noun that follows is singular or plural.
    Mi piace l'italiano.   I like Italian.
    Mi piacciono gli italiani.   I like Italians.
  - In the questions **Ti piace/piacciono** (informal) or **Le piace/piacciono** (formal) are used.
  - In the negative **non** comes before **mi/ti/Le: Non mi piace la grammatica.**

- Agreement and disagreement with the verb **piacere**
  Anche a me and **neanche a me** express agreement with affirmative and negative statements respectively. Similarly **a me no** and **a me sì** express disagreement, the former with an affirmative statement and the latter with a negative statement.

	Agreement	Disagreement
Mi piace il caffè corretto.	**Anche a me.**	**A me no.**
Non mi piace il caffè corretto.	**Neanche a me.**	**A me sì.**

- Verbs like **preferire**
  Some verbs ending in **–ire** like **preferire, capire, finire, pulire,** have the following pattern.

(io)	prefer	**isc**o
(tu)		**isc**i
(lui/lei/Lei)		**isc**e
(noi)		iamo
(voi)		ite
(loro)		**isc**ono

- Adverbs of frequency
  - **Raramente, spesso** and **molto spesso** can be placed either before or after the verb.
    Mangio spesso la pasta/Spesso mangio la pasta.
  - **Qualche volta, ogni tanto** and **di solito** are usually placed before the verb.
    Ogni tanto esco con gli amici.
  - **Sempre** must be placed after the verb.
    Vado sempre al ristorante.
  - **Mai** and **quasi mai** require **non** before the verb.
    Non vado mai a teatro.

Esercizi di grammatica/GRAMMAR EXERCISES

Piace or piacciono?

1 Fill in the gaps with the appropriate form of the verb.
  a Ti _____ Londra? – Sì, mi _____ soprattutto i parchi di Londra.
  b Mi _____ la cucina messicana.
  c Le _____ i film gialli?
  d Mi _____ imparare le lingue straniere.
  e Ti _____ le lingue neolatine?

Formal/Informal

2 Change the following sentences from informal to formal or vice versa.
  a Ti piace il tango argentino?
  b Lei preferisce un caffè o un tè?
  c Le piacciono le commedie di Goldoni?
  d Mi piace un sacco andare al mare. E tu cosa preferisci, il mare o la montagna?

Agreement/disagreement

3 Agree or disagree with the following statements.
  a Mi piace andare a cena fuori.
  b Non mi piace lavare i piatti.
  c Non mi piacciono le persone bugiarde.
  d Mi piacciono gli animali.
  e Mi piacciono i colori vivaci.

Asking questions

4 Write a suitable informal (I) and formal (F) question for each answer.
  a I _____ No, mai.
    F _____
  b I _____ Sì, ogni tanto mi piace.
    F _____
  c I _____ Sì, molto.
    F _____
  d I _____ No, non molto, preferisco
    F _____ andare a teatro.

Adverbs of frequency

5 Reorder the following jumbled up sentences.
      Sempre/piscina/in/vado.
      Vado sempre in piscina.
  a Mai/carne/la/mangio/non/perché/vegeteriano/sono.
  b Piace/mi/una/fare/parco/nel/passeggiata/qualche volta.
  c Ristorante/vado/cena/ogni tanto/al/a/amici/spesso/invito/e.
  d Televisione/la/leggere/non/preferisco/perché/mai/quasi/guardo.

Glossario/GLOSSARY

Section 1
ballare	to dance
amici	friends
teatro	theatre
cucinare	to cook
fare una passeggiata	to go for a walk
andare in palestra	to go to the gym

Section 3
tanto	a lot
per niente	not at all
anche a me	so do I
neanche a me	neither do I
a me sì	I do
a me no	I don't

Sections 6/7
gelati	icecreams
fragole	strawberries

Section 8
mi piace un sacco/ moltissimo	I like a lot
mi piace abbastanza	I quite like

Section 9
formaggio	cheese
macchine veloci	fast cars
pomodori secchi	sun-dried tomatoes
quadri	paintings

Section 10
stasera	tonight
costa troppo	it costs too much
veramente?	really?
rimaniamo a casa	let's stay at home
come al solito	as usual

Section 14
mai	never
quasi mai	almost never
raramente	rarely
ogni tanto	every now and then
qualche volta	sometimes
di solito	usually
spesso	often
molto spesso	very often
sempre	always

Section 19
giornale	newspaper

Section 21
carissima	dearest
ancora	again
so che tu non ricambi il mio amore	I know that you don't reciprocate my love
desidero comunicarti	I want to tell you
ti sogno	I dream of you
penso di aver perso la testa	I think I am madly in love
la donna dei miei sogni	the woman of my dreams
mi piace/piacciono da morire	I like … very much

Grammar
il caffè corretto	laced coffee

Grammar exercises
i film gialli	thrillers
imparare	to learn
lingue straniere	foreign languages
commedie	plays
mare	sea
montagna	mountains
andare a cena fuori	to go out to dinner
lavare i piatti	to do the washing up
le persone bugiarde	liars
animali	pets
i colori vivaci	bright colours
carne	meat
vegetariano	vegetarian

Partner work
andare in bicicletta	to go cycling
viaggiare	to travel
dipingere	to paint
gatti	cats
cucina indiana	Indian cooking
calcio	football
dolci	dessert
fare fotografie	to take photographs
andare all'estero	to go abroad
prendere il sole	to sunbathe
andare al mercato	to go to the market
fumare sigari	to smoke cigars
cantare sotto la doccia	to sing in the shower
andare in vespa	to go by scooter
fare una festa	to have a party
andare dal dentista	to go to the dentist
stirare	to iron

Further practice (See Appendix p.181)

Lavoro di coppia/PARTNER WORK

1 Ask partner B whether he/she likes these things and respond to his/her statements according to the symbols in the grid. Record his/her answers using the appropriate symbols.

+++ moltissimo   ++ molto   + abbastanza   – non molto   – – per niente

A *Ti piace andare in bicicletta?*
B *Sì, molto. E a te?*
A *Anche a me.*

	You	**Your partner**
andare in bicicletta	++	
viaggiare	+++	
dipingere	–	
i gatti	+	
la cucina indiana	– –	

Now swap roles and answer partner B's questions according to the symbols in the grid. Don't forget to record his/her reponses.

A *Ti piace il calcio?*
B *No, per niente. E a te?*
A *Neanche a me.*

	You	**Your partner**
il calcio	– –	
il tennis	–	
i dolci	+++	
fare fotografie	++	
ascoltare la radio	+++	

2 Find out how often partner B does these things, then answer his/her questions.

andare all'estero   **giocare a carte**

prendere il sole   **fumare sigari**

andare al mercato   **cantare sotto la doccia**

Lavoro di coppia/PARTNER WORK

1 Answer partner A's questions according to the symbols in the grid. Listen to your partner's responses and record them using the appropriate symbols.

+++ moltissimo   ++ molto   + abbastanza   – non molto   – – per niente

A *Ti piace andare in bicicletta?*
B *Sì, molto. E a te?*
A *Anche a me.*

	You	Your partner
andare in bicicletta	+ +	
viaggiare	+	
dipingere	–	
i gatti	– –	
la cucina indiana	+ + +	

Now swap roles and ask partner A some questions. Respond to his/her statements according to the symbols in the grid. Don't forget to record his/her answers.

A *Ti piace il calcio?*
B *No, per niente. E a te?*
A *Neanche a me.*

	You	Your partner
il calcio	– –	
il tennis	+	
i dolci	+ + +	
fare fotografie	–	
ascoltare la radio	+ +	

2 Find out how often partner B does these things, then answer his/her questions.

5 Al bar

By the end of this unit you will be able to order food and drinks in bars and restaurants, and book into a hotel room.

 1 Dividi le seguenti parole in due gruppi: cibo e bevande/Divide the following words into two groups: food and drinks.

1 panino al prosciutto	2 tramezzino	3 caffè
4 tè	5 aranciata	6 gelato
7 birra	8 acqua minerale	9 cioccolata calda
10 cornetto	11 succo di frutta	12 Coca Cola
13 spumante 14 cappuccino	15 aperitivo	16 spremuta d'arancia

Food: _____

_____

_____

Drinks: _____

_____

_____

2 Ora metti l'articolo determinativo davanti alle parole qui sopra/
Now put the word for 'the' in front of the words above.

grammatica

The words for 'a/an'			
un	**uno**	**una**	**un'**
Masculine	*Masculine*	*Feminine*	*Feminine*
before consonant and vowel	before *s* + consonant, before *ps, z, gn, y, x*	before consonant	before vowel
un cappuccino	**uno spumante**	**una pasta**	**un'aranciata**
un aperitivo	**uno zabaglione**		

3 **Ora metti le parole dell'esercizio 1 nella colonna del corretto articolo indeterminativo**/Now list the words of section 1 under the correct column.

un	uno	una	un'
cappuccino	spumante	birra	aranciata

4 **Ecco i numeri da 100 in poi**/Here are the numbers from 100 onwards.

100	cento	200	duecento	1000	mille
101	centouno	300	trecento	2000	duemila
102	centodue	400	quattrocento	1.000.000	un milione
111	centoundici	500	cinquecento	1.000.000.000	un miliardo
126	centoventisei	600	seicento		

5 **Ascolta e scrivi quanto pagano questi clienti**/Listen and write, in numbers, how much these customers are asked to pay.

Cliente	Cameriere
a Quant'è?	€ **5,35**
b Cameriere! Il conto, per favore.	€ _____
c Un caffè e un cornetto.	€ _____
d Una birra, tre cornetti e un gelato. Quanto pago?	€ _____

6 **Ascolta le battute del cameriere e abbinale alle rispettive ordinazioni**/Listen to what the waiter says and find the matching orders.

Cameriere	Cliente
a Desidera?	**1** Vorrei un tè al limone.
b Dica?	**2** Mi dà due cappuccini?
c Prego?	**3** Posso avere un aperitivo?
d Desiderano?	**4** Un caffè macchiato e una cioccolata calda, per favore.

7 Sei al bar 'Arcobaleno', ordina quello che vuoi bere o mangiare al tuo compagno, che fa il cameriere. Poi scambiatevi i ruoli/You are at the Arcobaleno bar, order something to eat or drink. Your partner will be the waiter/waitress. Then swap roles.

Bar Arcobaleno
Listino prezzi

Caffè Espresso	€ 1,10
Caffè Decaffeinato	€ 1,20
Cappuccino	€ 1,30
The* limone/latte	€ 1,20
Cioccolata	€ 1,50
Birra grande	€ 2,15
Birra piccola	€ 2,00
Succo di frutta	€ 1,30
Spremuta	€ 1,50
Amari	€ 1,50
Aperitivi	€ 2,00
Paste	€ 2,30
Cornetti	€ 2,00
Tramezzini (prosciutto/formaggio)	€ 2,15
Panini (prosciutto/formaggio)	€ 2,25

*Note the alternative spelling of this word: **tè** or **the**.

8 **Guarda il menù del ristorante 'Spiaggia d'Oro' e dividi i piatti in queste categorie**/Look at the restaurant menu below and divide the dishes into these categories.

antipasti starters	prosciutto e melone, _____
primi first course	spaghetti alle vongole, _____
secondi second course	bistecca ai ferri, _____
contorni side dish	insalata mista, _____
dessert puddings	tiramisù, _____

> *Risotto alla pescatora*   *Insalata mista*   *Gnocchi al pesto*   *Tiramisù*
>
> *Bistecca ai ferri*   *Gelati*   *Patatine fritte*   *Zucchine fritte*
>
> *Gamberetti in salsa rosa*   *Peperonata*   *Prosciutto e melone*
>
> *Spaghetti alle vongole*   *Linguine alla 'Spiaggia d'Oro'*   *Ravioli agli spinaci*
>
> *Pesce alla griglia*   *Torta 'Spiaggia d'Oro'*   *Salumi e olive*
>
> *Pescespada alla griglia*   *Calamari fritti*   *Bruschetta*   *Pollo alla diavola*
>
> *Insalata caprese*   *Cassata Siciliana*   *Polenta alla valdostana*
>
> *Capretto*   *Macedonia di frutta*   *Crostata di frutta*

Un ristorante elegante

9 **Ascolta e metti un segno (✓) nel menù di pagina 54 accanto ai piatti menzionati. Poi riascolta e scrivi cosa ordinano i clienti/** Listen and tick the dishes you hear from the menu on page 54. Listen to the recording again and write down the customers' orders.

10 **Completa il dialogo con le parole qui sotto, poi riascolta la cassetta e verifica/**Complete the dialogue with the words below then listen to the recording and check your answers.

abbiamo	scusi	da bere	prendo	vorrei	preferisco	cosa sono

anche per me

A _____ , possiamo ordinare?
B Sì, certo.
A Come antipasto prendo una caprese.
C Io_____ gamberetti in salsa rosa.
B Bene. E per primo?
C _____ le linguine alla 'Spiaggia d'Oro'?
B Linguine ai frutti di mare.
C Va bene. _____ le linguine alla ' Spiaggia d'Oro'. E tu cosa prendi?
A Vorrei gnocchi al pesto.
B Mi dispiace, gli gnocchi sono finiti. _____ però degli ottimi ravioli agli spinaci.
A Va bene, allora prendo i ravioli.
B E per secondo?
A Calamari fritti per me.
C _____ . E un'insalata mista.
A Io _____ la peperonata.
B Va bene. _____ ?
A Una bottiglia di vino bianco della casa.
C E un'acqua minerale.
B Bene.

Colours used as adjectives		
bianco	white	vino bianco
rosso	red	vino rosso, peperoni rossi
giallo	yellow	peperoni gialli
nero	black	olive nere
verde	green	olive verdi, salsa verde
rosa (invariable)	pink	salsa rosa
azzurro	light blue	cielo azzurro
blu (invariable)	dark blue	mare blu
arancione	orange	giacca arancione
marrone	brown	borsa marrone
grigio	grey	cielo grigio
viola (invariable)	purple	maglione viola

11 **Siete al ristorante 'Spiaggia d'Oro'. Dividetevi in gruppi di tre: uno di voi è il cameriere e gli altri i clienti. Recitate il dialogo dell'esercizio 10**/You are at the Spiaggia d'Oro restaurant. Work in groups of three: one of you will be the waiter/waitress taking the orders, and the others the customers. Act out the dialogue from section 10.

 12 **Guarda i piatti del menù e chiedi al tuo/alla tua partner cosa gli/le piace. Di' se sei d'accordo**/Look at the menu of the Spiaggia d'Oro and ask your partner what dishes s/he likes. Agree or disagree with him/her.

A *Ti piacciono gli gnocchi al pesto?*
B *Sì, molto.*
A *Anche a me/A me no.*

A *Ti piacciono i calamari fritti?*
B *A me no.*
A *Neanche a me/A me sì.*

Un caffè all'aperto

13 **Scrivi le parole del riquadro accanto al simbolo appropriato**/Match the words below with the corresponding symbols.

centro	frigo-bar	sul mare	telefono	piscina	campo da tennis
	TV	bagno	radio, filodiffusione	bar	aria condizionata
doccia	riscaldamento	vasca idromassaggio	discoteca		lavanderia
mezza pensione	sala lettura	parcheggio	ristorante		camera singola
	pensione completa	camera doppia	bancomat		camera tripla

1 ♪ _____
radio, wireless

2 ▥ _____
central heating

3 ▤ _____
air conditioning

4 ⏊ _____
swimming pool

5 🏃 _____
tennis court

6 🛏✖ _____
half board

7 🛏✖ _____
full board

8 T.V. _____
television

9 ⬦ _____
cash dispenser

10 ☎ _____
telephone

11 ▱ _____
bathroom

12 🚿 _____
shower

13 🛏 _____
double room

14 🛏🛏 _____
triple room

15 ▯ _____
frigo-bar

16 ▤ _____
hydromassage bath

17 🛏 _____
single room

18 P _____
parking

19 ☕ _____
bar

20 ✖ _____
restaurant

21 ◉ _____
discotheque

22 ▦ _____
on the sea

23 ⊙ _____
centre

24 ⛷ _____
laundry

25 ▨ _____
reading room

14 **Com'è il tuo albergo ideale? Scegli i cinque servizi che ritieni indispensabili ed elencali**/What's your ideal hotel like? Out of the list above, choose the five features you consider essential and write them below.

_____

_____

15 **Ascolta e riempi gli spazi**/Listen and fill in the gaps.

A Buongiorno, _____ una camera per tre notti.
B Una _____ ?
A Sì.
B Con _____ in camera ?
A Con bagno quanto costa?
B € 80 a _____
A E _____ ?
B € 65.
A La _____ è compresa?
B Sì, certo.
A _____ la TV in camera?
B Sì, _____ anche radio e telefono.
A E il frigo-bar _____ ?
B No, la camera da € 65 è senza frigo.
A Va bene, la _____ .
B Bene, è la camera no. 53 al secondo _____ . Ha un documento?
A Ecco il _____ .
B Grazie.

16 **Siete all'Hotel Diamante. Fate questi dialoghi in coppia. Uno di voi è il/la cliente e l'altro è il/la receptionist. Scambiatevi i ruoli**/You are at the Diamante Hotel. In pairs, act out short dialogues using the prompts below. One of you is the receptionist, the other the guest. Take turns.

a You want a double room with bath for three nights; you also want to know whether there is a swimming pool.
b You want a single room with shower for five nights; you want to know if breakfast is included and inquire about parking facilities.
c You want a room with three beds, half board; you also want your room to be air-conditioned with TV, radio and telephone.

17 **Ascolta e completa**/Listen and complete.

gennaio   feb _ _ _ _ _   ma _ _ _   a _ _ _ _ _   _ _ _ _ _ _   giu _ _ _   _ _ _ _ _ _

agosto   set _ _ _ _ _ _   _ _ _ _ _ _ _   _ _ _ _ _ _ _   _ _ _ _ _ _ _

grammatica

C'è il frigo-bar?	Is there a minibar?
Sì, c'è/ No, non c'è.	Yes, there is/ No, there isn't.
Ci sono altre coperte?	Are there any other blankets?
Sì, ci sono/No, non ci sono.	Yes, there are/No, there aren't.

Extra!

18 Ascolto/Listening

**Ascolta il dialogo, metti un segno (✓) accanto a quello che viene ordinato.
Scrivi anche il prezzo di ogni ordine**/Listen to the dialogue and put a tick next
to what people order. Write down the price for each item ordered.

19 Ascolto e scrittura/Listening and writing

a **Ascolta la telefonata di Lucia all'Hotel Bella Vista e completa la scheda**/
Listen to Lucia's phone call to the Bella Vista Hotel and complete the form below.

Hotel Bella Vista
Scheda di prenotazione

Nome: _____

Tipo di camera: _____

Periodo: _____

Prezzo: _____

Servizi richiesti: _____

b **In base alle informazioni della scheda di prenotazione qui sopra, scrivi il
dialogo tra la cliente e la receptionist**/From the information in the form
above, reconstruct the dialogue between the guest and the receptionist.

To help you, we report here what the receptionist says:

**Hotel Bella Vista, buongiorno / Per tre notti? Quando? / Camera singola
con bagno? / €55 a notte. / €40. / Sì, c'è il telefono. / Sì, c'è anche la TV.**

Lucia
Buongiorno, sono Lucia Patroni.

Receptionist
Hotel Bella Vista, buongiorno.

Grammatica/GRAMMAR

● **Prepositions**

Prepositions cannot be translated literally. So far, you have met:

a in, to		**in** in, to, by	
Abito a Roma.	I live in Rome.	Abito in Italia.	I live in Italy.
Vado a Parigi.	I go to Paris.	Vado in Francia.	I go to France.
		Vado in bicicletta.	I go by bike.

di from, of		**da** to, at, from, for	
Sono di Londra.	I'm from London.	Vado da mia nonna.	I'm going to my granny's.
Prendo un bicchiere di latte.	I'll have a glass of milk.	Ceniamo da Lara.	We'll have dinner at Lara's.
		Vengo da Parigi.	I'm on my way from Paris.
con with		Sono sposata da due anni.	I've been married for two years.
Abito con Mara.	I live with Mara.		

per for	
Anche per me.	For me too.

Note the use of prepositions with the following words:

in discoteca	in/at/to the discotheque	**a** teatro	in/at/to the theatre
palestra	gym	scuola	school
pizzeria	pizza house	casa	at home/home
piscina	swimming pool		
montagna	mountains	**al** cinema	in/at/to the cinema
ufficio	office	ristorante	restaurant
banca	bank	bar	bar/pub
campagna	countryside		
albergo	hotel	**all'**università	in/at/to the university
centro	centre		

● **There is / There are**

– **C'è** translates 'there is'. **Ci sono** translates 'there are'.

C'è la TV in camera.	There is a television in the room.
Ci sono due asciugamani in bagno.	There are two towels in the bathroom.

– In a question the word order does not change. Therefore the rising intonation is vital.

C'è la TV in camera?	Is there a television in the room?
Ci sono asciugamani in bagno?	Are there towels in the bathroom?

– In the negative, **non** comes before **c'è, ci sono**.

Non c'è la TV in camera.	There isn't a television in the room.
Non ci sono asciugamani in bagno.	There are no towels in the bathroom.

Esercizi di grammatica/GRAMMAR EXERCISES

Definite articles

1 Turn the following words into the plural, and add the correct definite article.

limonata, cappuccino, spremuta, succo di frutta, panino, cornetto, birra, tè/the, amaro, gelato, tramezzino, aperitivo, pasta, caffè, Coca Cola

Indefinite articles

2 Put the indefinite articles in front of the following words

_____ camera singola, _____ parcheggio, _____ frigo-bar, _____ bar, _____ ascensore, _____ campo da tennis, _____ TV, _____ telefono, _____ piscina, _____ discoteca, _____ bancomat, _____ vasca idromassaggio, _____ radio, _____ lavanderia, _____ bagno, _____ sala lettura, _____ ristorante, _____ doccia

There is/There are

3 Fill in the gaps with **c'è** or **ci sono.**

   a Non _____ la piscina.
   b _____ giochi per bambini?
   c _____ 45 camere doppie.
   d _____ asciugamani puliti?
   e Non _____ l'ascensore.

Prepositions

4 Fill in the gaps with the missing prepositions.

   a Mi piace andare _____ discoteca. – A me no, io preferisco andare _____ teatro o _____ cinema.
   b Victor va tutte le sere _____ palestra perché è vanitoso e molto grasso.
   c Generalmente pranzo _____ Caterina, ma oggi vado _____ Mara.
   d Perché non andiamo _____ piscina? – No, fa freddo. E poi, non so nuotare … Andiamo invece _____ centro _____ ristorante!
   e Sono _____ Londra, ma abito _____ Svizzera, _____ Ginevra.

Verbs

5 Fill in the gaps with the appropriate form of the verbs.

Carissime Ruth e Helen,
come (stare) _____ ? (essere) _____ in vacanza al mare con Patrick e (essere) _____ molto innamorati. (alzarsi) _____ presto tutte le mattine, (passeggiare) _____ lungo la spiaggia, e (vedere) _____ il sorgere del sole. Alle 9 (fare) _____ colazione, poi (passare) _____ tutto il giorno in spiaggia. Il pomeriggio (riposarsi) _____ e la sera (andare) _____ al ristorante e poi in discoteca, dove (ballare) _____ fino a tardi. (tornare) _____ in albergo in taxi stanchi, ma abbiamo sempre tempo e voglia di ....
un gelato! E voi, che cosa (fare) _____ di bello?
Bacioni. Tiziana

Glossario/GLOSSARY

Section 1

un panino	a roll
un tramezzino	a sandwich
un'aranciata	an orangeade
un'acqua minerale	a mineral water
un gelato	an ice cream
una birra	a beer
una cioccolata	a chocolate
un cornetto	a croissant
un succo di frutta	a fruit juice
uno spumante	a sparkling white wine
un aperitivo	an aperitif
una spremuta	a freshly squeezed juice

Section 5

Quant'è?	How much is it?
cameriere/a	waiter/waitress
Quanto pago?	How much do I owe you?

Sections 6/7

Desidera?/Dica?/Prego?	What would you like?
Desiderano?	What would you (pl) like?
un caffè macchiato	a coffee with a dash of milk
un caffè decaffeinato	a decaffeinated coffee
un amaro	a digestive (lit. bitter)

Section 8

insalata mista	mixed salad
patatine fritte	chips
bistecca	beefsteak
zucchine	courgettes
gamberetti	shrimps
prosciutto	ham
vongole	clams
pesce	fish
torta	cake
calamari	squid
pollo	chicken

Section 10

Possiamo ordinare?	Can we order?
ottimo	very good
Anche per me.	For me too.
Da bere?	Anything to drink?

Section 13

sul mare	by the sea
bagno	bathroom
filodiffusione	wireless radio
aria condizionata	air conditioning
campo da tennis	tennis court
vasca idromassaggio	jacuzzi
riscaldamento	central heating
lavanderia	launderette
mezza pensione	half board
pensione completa	full board
sala lettura	reading room
parcheggio	parking facilities
camera singola	single room
camera doppia	double room
camera tripla	triple room
bancomat	cash dispenser

Section 17

gennaio	January
febbraio	February
marzo	March
aprile	April
maggio	May
giugno	June
luglio	July
agosto	August
settembre	September
ottobre	October
novembre	November
dicembre	December

Section 19

servizi richiesti	requirements
scheda di prenotazione	booking form

Grammar exercises

giochi per bambini	games for children
ascensore	lift
vanitoso	vain
grasso	fat
fa freddo	it's cold
essere innamorato	to be in love
sorgere del sole	sunrise
in spiaggia	on the beach
stanchi	tired
avere voglia di	to be in the mood for
Che cosa fai/fate di bello?	How is life?

Further practice

vista sul mare	sea view
sapere	to know
incluso/a	included
Mi potrebbe spedire…	Could you please send me…
In attesa di una sua gentile risposta, La saluto cordialmente	Hoping to hear from you soon, I thank you for your kind attention

Lavoro di coppia/PARTNER WORK

1 Complete the price list with the missing information by asking your partner.

Quanto costa un caffè espresso?

Bar Alpino
LISTINO PREZZI

Caffè espresso	€ _____	Acqua minerale	€ 1,20
Caffè corretto	€ 1,30	Birra grande	€ _____
Caffè Hag	€ _____	Birra media	€ 2,15
Cappuccino	€ 1,30	Birra piccola	€ _____
Cioccolata	€ _____	Bibite lattina	€ 1,30
The/Camomilla	€ 1,20	Bibite bottiglia	€ _____
Amari	€ _____	Succo di frutta	€ 2,00
Aperitivi	€ 2,00	Spremuta	€ _____
Liquori nazionali	€ _____	Panini	€ 2,15
Liquori esteri	€ 2,25	Paste	€ _____
Grappa	€ _____	Cornetti	€ 2,00

Grazie!

2 You are on holiday in Italy and you are looking for a room. Ask partner B, the receptionist at Villaggio Stromboli, if they have the following:

a double room with a bath
breakfast included
with parking facilities
with a swimming pool
air conditioning

Now swap roles. You are the receptionist at La Sciara Residence. Answer partner B's questions following the prompts below. Prices in Euros.

★ **La Sciara Residence** (5/9) ▢62 ⇆122 🛏59
★ Villa Soldato Cincotta ☎ 090986121 - 090986004
✆ 090986284

🛏		🛏		🛏	🛏 ✕		🛏 ✕	
▢	▢ 🛁	▢	▢ 🛁		▢	🛁	▢	🛁
51,6 103	51,6 103	103 206	103 206	INCL.	108,5 154,5	108,5 154,5	144 206	144 206

Lavoro di coppia/PARTNER WORK

1 Complete the price list with the missing information by asking your partner.

Quanto costa un cappuccino?

Bar Alpino
LISTINO PREZZI

Caffè espresso	€ 1,10	Acqua minerale	€ _____
Caffè corretto	€ _____	Birra grande	€ 2,70
Caffè Hag	€ 1,15	Birra media	€ _____
Cappuccino	€ _____	Birra piccola	€ 2,00
Cioccolata	€ 1,40	Bibite lattina	€ _____
The/Camomilla	€ _____	Bibite bottiglia	€ 2,00
Amari	€ 2,00	Succo di frutta	€ _____
Aperitivi	€ _____	Spremuta	€ 2,30
Liquori nazionali	€ 2,30	Panini	€ _____
Liquori esteri	€ _____	Paste	€ 2,30
Grappa	€ 2,70	Cornetti	€ _____

Grazie!

2 You are the receptionist at Villaggio Stromboli. Partner A comes in to enquire about a room. Answer his/her questions following the prompts below. Prices are in Euros.

★ **Villaggio Stromboli** (4/10) ▭36 🛏71 📺36												
★ Via Regina Elena ☎ 090986018 - 📠090986258												
🔣 icons row	31,5	—	46,4	—			49	—	61,7			
	51,6	—	92,8	—	10,2	—	70,5	—	92,8			

Now swap roles. You are looking for accommodation. Ask partner A, the receptionist at La Sciara Residence, if they have the following:

two single rooms
for three days
with TV, radio and air conditioning in each room
breakfast included
tennis courts
sauna

6 A casa

By the end of this unit you will be able to describe your house, make inquiries about renting a room, and understand property advertisements.

 1 **Ascolta Marina che parla della sua casa ideale e metti un segno (✓) accanto alle camere menzionate**/Listen to Marina talking about her ideal home and put a tick next to the rooms she mentions.

soggiorno

camera da letto

cucina

bagno

studio

ingresso

balcone

salotto

ripostiglio

sala da pranzo

garage

giardino

 2 **Riascolta Marina e sottolinea gli aggettivi che usa per descrivere ciascuna stanza fra quelli della lista qui sotto**/Listen again to Marina's description and underline the adjectives you hear in the list below.

<u>ideale</u> brutta <u>bella</u> grande piccola spaziosa enorme piccolo luminoso arieggiato incolto ben coltivato ordinato selvaggio tranquillo calmo accogliente impersonale moderna antica buio scuro deprimente ordinata gelida fredda matrimoniale antipatiche carine monotone colorate moderno vecchio corto lungo largo stretto

3 **Leggi e ascolta la descrizione dell'appartamento di Paola, guarda la piantina e rispondi alle domande**/Read and listen to the description of Paola's flat, look at the plan below and answer the questions.

Paola abita in un appartamento al primo piano alla periferia di Salerno. Appena si entra, la prima stanza a destra è lo studio. Accanto allo studio c'è la camera da letto. A sinistra, di fronte allo studio, c'è il soggiorno. In fondo al corridoio c'è il bagno e la cucina è tra il bagno e il soggiorno.

Come si dice in inglese … ?

a a destra di
b a sinistra di
c in fondo a
d accanto a
e di fronte a
f tra/fra

4 **Ascolta e leggi come Giorgio descrive il suo appartamento e completa la piantina con i nomi delle stanze**/Listen and read how Giorgio describes his flat and write the names of each room in the plan below.

Io abito in un appartamento nel centro storico di Roma da tre anni. Ci sono due stanze più servizi (cucina e bagno), l'ingresso, e un balcone. Appena si entra, a sinistra, c'è la mia camera da letto, che è una stanza molto grande e luminosa perché ci sono due finestre enormi. Accanto alla camera c'è il soggiorno, dove la sera mi piace leggere e ascoltare musica. Appena si entra, a destra, c'è un piccolo bagno con un ripostiglio accanto, pieno di scatole e valigie. In fondo al corridoio, tra il soggiorno e il ripostiglio, c'è la cucina, la mia stanza preferita perché adoro cucinare. La cucina ha una grande porta-finestra che dà sul balcone pieno di fiori e piante.

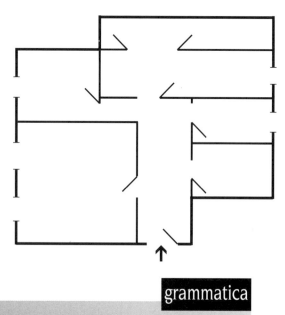

grammatica

Verb + **da** + duration

Abito a Venezia da tre anni. I have been living in Venice for three years.
Note that the present tense also describes actions that began in the past and continue into the present.

5 Abbina gli aggettivi qui sotto ai loro contrari/Match the adjectives below to their opposite.

a accogliente   **1** piccolo

b grande   **2** antico

c luminoso   **3** tranquillo

d moderno   **4** buio

e rumoroso   **5** freddo

6 Descrivi al tuo/alla tua partner la tua casa ideale/Describe your ideal home to your partner.

7 Con l'aiuto del glossario colloca i mobili nella stanza appropriata e aggiungi l'articolo/Using the glossary on page 74, put the items of furniture below into the appropriate room, adding the articles. Some items can be found in more than one room.

divano lampada lampadario cucina comodino tavolo poltrona letto lavello materasso lavatrice vasca da bagno tende libreria quadro piumone lenzuola forno a micro-onde doccia divano-letto aspirapolvere lavastoviglie bidè lavandino scrivania specchio frigorifero armadio tappeto scaffale sedie idromassaggio stufa elettrica

8 Ascolta la descrizione e riempi gli spazi con l'aiuto dei vocaboli dell'esercizio 7/Listen to the description and fill in the gaps. Check against the vocabulary in section 7.

La mia camera è spaziosa e accogliente. C'è una finestra grande con le _____ gialle. Il _____ è di fronte _____ finestra e accanto _____ letto c'è il _____ con sopra una _____ . L' _____ è a destra _____ finestra e la _____ è _____ centro _____ stanza. _____ scrivania c'è il computer. I libri sono sugli _____ a sinistra della _____ .

9 **Rileggi la descrizione della camera nell'esercizio 8, sottolinea le preposizioni articolate e scomponile**/Read the description again, underline the combined prepositions and separate them. The table in the grammar section of this unit will help you.

di fronte <u>alla</u> finestra = *a + la finestra*

 10 **Hai mille euro e devi arredare la tua stanza. Leggi gli annunci e cerca di comprare tutto ciò che ti serve**/You have a thousand euros and you have just moved to a new room. Read the advertisements below and try to furnish it. Write down what you are going to buy and how much it costs.

_____

_____

_____

_____

_____

SPECCHIO figura intera cm 161 × 30 con base e contorni in ottone vendo a €35 Tel. 040-816079.

LENZUOLA con angoli 1 piazza e mezza 120 × 200 cm rosa, vendo a €15 mai usato Tel. 040-413108.

MATERASSO singolo ortopedico per errato acquisto, nuovo vendo a €45. Tel. 0329-4228154.

PIUMONE matrimoniale fodera azzurra perfetto vendo a €25. Tel. 040-288009.

2 MATERASSI nuovi, singoli, 180 × 60, per letto una piazza e mezza, vendo a €50 cadauno Tel. 040-813930.

LAMPADA alogena in puro ottone h.185 cm con 500 w potenza regolabile adatta ogni ambiente vendo a €135 non trattabili Tel. 0481-486980 – 0347-2959269.

TAPPETO in lana fatto a mano, cm 165 × 220, in buono stato, vendo a €125 Tel. 040-810167.

MOBILE BAGNO con lavandino inserito su piano marmo, come nuovo, a metà prezzo €380. Tel. 040-821828.

2 TENDE ALLA VENEZIANA nuove con guide laterali, colore verdino, cm 48 × 115h, a €43 + tenda alla veneziana colore verde cm 98x90h, a €22 vendo Tel. 040-414477.

IDROMASSAGGIO usato una sola volta vendo €135 Tel. 0328-2160221 ore pasti.

STUFA ELETTRICA come nuova, vendo a €75. Tel. 040-820632 ore pasti.

LAMPADARIO in vetro di Murano per camera, con abat-jour, rotondo, colore chiaro, linea semplice e moderna, vendo a €55. Tel. 040-942842.

ARMADIO due ante ottimo stato vendesi a €225 Tel. 081-5763479.

TAVOLO di legno anni 50 cm 190 × 90 con 6 sedie buono stato €285 Tel. 081-7627158.

11 **Leggi gli annunci qui sotto e ascolta il dialogo tra Mara, una studentessa italiana che cerca una camera a Londra, e la proprietaria di un appartamento, anche lei italiana. Metti un segno (✓) accanto all'annuncio di cui si parla**/Read the adverts below, then listen to the conversation between an Italian student looking for a room and the landlady, who is also Italian. Decide which room they are talking about.

Large sgle rm for F, Rent £380 PCM, Bills inc except tel, Dep 1 month, Call eves/w.ends, Nr BR/Bus, 0208 341 1288, Gdn.

Dble rm for F/M, Rent £600 PCM, Bills inc except tel, No dep, Nr buses, 0207 342 1876, Rent at beg of mth.

Dble rm for F, Rent £520 PCM, Bills exc, Dep £520, Nr tube/BR, Non-Smoker, 07887-66307, Cat lover

Large sgle rm for M/F, Rent £310 PCM, Bills inc, Dep 1 mth, Nr BR, Non-Smoker, 0208 776 5476, Deposit/refs req.

Large dble rm for M/F, Rent £320 PCM, Bills exc, Dep 1 mth, Call eves, Nr tube, Non-smoker pref, 0208 8811395.

Dble rm for Cple, Rent £640 PCM, Bills exc, Dep 1 mth, Nr BR, 0208 923 2967, Gdn & conservatory.

Sgle rm for F, Rent £185 PCM, Bills exc, Dep £225, Nr BR, 0208 297 8013.

Large dble rm for F, Rent £520 PCM, Bills inc, Dep 1 mth, Call eves, Nr tube/BR/bus, Non-S, 0207 686 1340, Cat lover, gdn.

12 **Riascolta e numera la sequenza delle battute**/Listen to the dialogue again and number the lines in the correct sequence.

Mara	Proprietaria
1️⃣ Buongiorno. Ho visto l'annuncio sul giornale.	2️⃣ Ah, per la camera, vero?
☐ E c'è una cauzione da pagare?	☐ Anche subito. L'indirizzo è …
☐ Sì, certo.	☐ Lei fuma?
☐ E dove si trova esattamente?	☐ Ha un letto matrimoniale, è bella, spaziosa, con uso cucina.
☐ Sì, moltissimo. Adoro tutti gli animali.	☐ Perfetto! Senta, vuole venire a vedere la camera?
☐ No, non fumo.	☐ A Pimlico, vicino alla metropolitana e anche alla stazione ferroviaria.
☐ Ah, bene. È molto centrale. E scusi, ma quant'è l'affitto?	☐ Sì, prendo un mese di anticipo, risarcibile naturalmente. Senta, posso farle alcune domande?
☐ Sì, certo. Com'è la camera?	☐ Ah, bene, perché, sa, vorrei una ragazza che non fuma. E le piacciono i gatti?
☐ Sì, quando?	☐ 520 al mese. Il gas, l'elettricità e il telefono si pagano a parte.

13 a Con le parole del riquadro riempi gli spazi nel dialogo/Fill in the gaps with the words in the box.

> il riscaldamento   vorrei   alle   camera   sono   venire   pagare   sapere   libera
> spaziosa

A Pronto?

B Sì, _____ Chiara Damiani e telefono per la _____ da affittare.

A Sì, certo.

B _____ delle informazioni.

A Sì, mi dica.

B Vorrei _____ dove si trova esattamente.

A Lei conosce Bologna?

B Sì, sì.

A Allora, guardi, è molto vicino a piazza San Petronio, nel centro storico.

B Ah, bene, nella zona universitaria. E la camera è _____ ?

A Sì, è molto spaziosa e anche molto luminosa.

B È con _____ _____ ?

A Sì, certo. Vuole venire a vedere la camera?

B Sì, è già _____ ?

A No, è libera da lunedì prossimo, però può venire.

B C'è una cauzione da _____ ?

A Sì, di €300.

B Ah, va bene. Allora, posso _____ oggi pomeriggio?

A Sì, a che ora?

B Va bene _____ 5.00 ?

A Sì, d'accordo. L'indirizzo è vicolo San Petronio 26. A più tardi allora.

B Sì, arriverderci. Grazie!

b Ora ascolta e controlla/Now listen and check your answers.

14 Seguendo il modello del dialogo 13, telefona per affittare la camera A. Un compagno/una compagna ti risponde. Poi scambiatevi i ruoli. Lui/lei vuole affittare la camera B/Now it is your turn: with a partner act out two dialogues similar to the one in section 13 following the prompts below.

A You are looking for:
a bright and spacious room
near the train station
you need to move in tomorrow
you can't pay more than €230
deposit

B Your partner is looking for:
a room with a double bed
with a TV
near the university
and can't pay a deposit

Extra!

 15 Ascolto/Listening

Ascolta il dialogo e elenca in inglese tutte le differenze possibili tra le **abitazioni a Londra e a Bologna**/Listen to the dialogue and write down as many differences as you can between houses in London and in Bologna.

16 Lettura/Reading

Marina cerca una camera singola per l'anno accademico in corso vicino all'Università, con uso cucina, non vuole spendere più di €280 al mese spese incluse. Leggi gli annunci, trova la camera adatta a lei e spiega in inglese i motivi della tua scelta/Marina is looking for a single room not far from the University, with cooking facilities. She can afford a maximum of €280 per month. Read the adverts below, find a suitable room for her and state the reason for your choice in English.

PRIVATO affitta posto letto in camera doppia in grande appartamento completamente rinnovato, doppi servizi, 5 mt a piedi dalla Stazione, a €260 + spese Tel.040-671105 – 040-125967 ore serali.

PRIVATO affitta libero subito posto in ampia stanza doppia solo a studentessa, termoautonomo, doppi servizi, vicinissimo all'Università nuova, a €300 mensili Tel. 040-124297.

STUDENTESSA o lavoratrice cercasi per camera doppia in appartamento vicino al teatro Giulia a €250. mensili Tel. 0368-7387991 – 040-350059.

IN PIAZZALE EUROPA signora affitta camera luminosa, silenziosa, con uso cucina, a studentessa o lavoratrice, non fumatrice, periodo 3-6 mesi, a €275 tutto compreso Tel.040-566491 serali.

PRIVATO AFFITTA in appartamento zona Università nuova, luminoso, tranquillo, a studentesse posto letto in camera doppia €230 mensili Tel 040-569564.

LIBERO POSTO in stanza doppia per ragazza in ampio, luminoso e moderno appartamento, in zona centrale, 50 mt. dalla stazione, €250 + Acegas Tel. 0347-9835325 – 0347-0369323 – 0422-378508.

CERCASI STUDENTESSA o lavoratrice per dividere appartamento, non fumatrice, camera singola, appartamento centrale, €300 + spese, da occuparsi anche per la fine di ottobre primi novembre Tel. 040-370003.

A STUDENTESSE non residenti, privato affitta stanze grandi e luminose in appartamento signorile, doppi servizi, riscaldamento autonomo, ascensore, telefono, lavatrice. Vicinissimo Scuola Superiore di Lingue e Stazione Centrale. Singola €280, doppia EU 230. Tel. 040-413676 – 040-43312.

LIBERO DA SUBITO posto in ampia stanza doppia, in via Marconi, TV, lavastoviglie e telefono, a €270 mensili + spese Tel. 040-568320 ore pasti.

LIBERI 2 POSTI in camera doppia, in appartamento a 10 minuti dall'Università, cucina, 2 camere, bagno, terrazzo, a €290 spese comprese Tel. 0349-8081587 – 0432-980834.

Grammatica/GRAMMAR

- **Combined prepositions**

The prepositions **a**, **di**, **da**, **in**, **su**, contract and combine with the definite article to form a single word. The chart below shows you the most widely used combinations.

	il	lo	l'	la	i	gli	le	
a	al	allo	all'	alla	ai	agli	alle	to/at/in/on the
di	del	dello	dell'	della	dei	degli	delle	of the
da	dal	dallo	dall'	dalla	dai	dagli	dalle	from the
in	nel	nello	nell'	nella	nei	negli	nelle	in/to the
su	sul	sullo	sull'	sulla	sui	sugli	sulle	on the

The prepositions **con** (with), **per** (for) and **tra/fra** (between) do not usually contract and combine with the definite article.

- **Place**

Note the use of the following:

accanto a	next to	**La cucina è accanto al bagno.** The kitchen is next to the bathroom.
di fronte a	opposite	**La biblioteca è di fronte all'Università.** The library is opposite the University.
dietro a	behind	**Il parco è dietro all'Università.** The park is behind the University.
in fondo a	at the end of	**La mensa è in fondo al corridoio.** The canteen is at the end of the corridor.
vicino a	near to	**Abito vicino al supermercato.** I live near to the supermarket.
lontano da	far from	**Abito lontano dal centro.** I live far from the centre.
a sinistra	on the left	**Entrando a sinistra c'è il bagno.** As you enter on the left, there is the bathroom.
a destra	on the right	**Entrando a destra c'è la cucina.** As you enter on the right, there is the kitchen.
sotto	under	**Sotto il letto c'è una scarpa.** There's a shoe under the bed.
al centro di	in the middle of	**Al centro della stanza, c'è una poltrona.** In the middle of the room, there is an armchair.

Esercizi di grammatica/GRAMMAR EXERCISES

Combined prepositions

1 Fill in the gaps with the combined prepositions.

Il latte è (in + il) *nel* frigorifero.

a Il computer è (su + la) _____ scrivania.

b Il libro è (in + la) _____ borsa.

c Il telefono è (su + lo) _____ scaffale.

d La giacca è (in + l') _____ armadio.

e I dischi sono (su + le) _____ mensole.

f Le videocassette sono (su+gli) _____ scaffali.

g I maglioni sono (in + i) _____ cassetti.

Place

2 Look at Marco's room and complete the message his mother left him. Fill in the gaps with the appropriate combined preposition when needed.

Marco, che disordine! Una scarpa è _____ il letto. La sveglia suona inutilmente _____ cassetto. C'è una bottiglia di vino al centro _____ stanza. _____ al vino c'è un televisore brutto e sporco. Il telefono è _____ valigia. _____ al letto c'è una poltrona piena di vestiti disordinati. _____ televisore ci sono gli avanzi del pranzo. _____ lampada in alto c'è la mia bellissima sciarpa di cashemere. La radio, invece, è _____ letto. La borsa è _____ pavimento. Metti tutto in ordine prima di stasera, per cortesia. Un bacio. Mamma.

Glossario/GLOSSARY

See Appendix p.181 for vocabulary in Section 12, Section 14, Extra!, Grammar exercises and Further practice.

Section 1
il soggiorno	living room
la camera da letto	bedroom
la cucina	kitchen
il bagno	bathroom
lo studio	studio
l'ingresso	hall
il balcone	balcony
il salotto	parlour
il ripostiglio	storeroom
la sala da pranzo	dining room
il garage	garage
il giardino	garden

Section 2
ideale	ideal
brutto/a	ugly
spazioso/a	spacious
enorme	huge
luminoso/a	light
arieggiato/a	airy
incolto/a	unkempt
ben coltivato/a	cultivated
ordinato/a	tidy
selvaggio/a	wild
tranquillo	quiet
accogliente	cosy
impersonale	impersonal
moderno	modern
antico/a	old/antique
buio/a	dark
deprimente	depressing
gelido/a	ice-cold
freddo/a	cold
matrimoniale	double (bed/room)
antipatico/a	unpleasant
carino/a	nice, pleasant
monotono/a	boring
colorato/a	colourful
scuro/a	dark
vecchio/a	old
corto/a	short
lungo/a	long
largo/a	wide
stretto/a	narrow

Sections 3/4
periferia	suburbs
l'appartamento	flat

la stanza	room
appena	as soon as
il corridoio	corridor
storico	historical
la finestra	window
pieno/a di	full of
la scatola	box
la valigia	suitcase
la porta-finestra	French window
dare su	to open onto
il fiore	flower
la pianta	plant

Section 5
rumoroso	noisy

Section 7
il divano	sofa
la lampada	lamp
il lampadario	lampshade
la cucina	cooker
il comodino	bedside table
il tavolo	table
la poltrona	armchair
il letto	bed
il lavello	kitchen sink
il materasso	mattress
la lavatrice	washing machine
la vasca da bagno	bathtub
la tenda	curtain
la libreria	bookcase
il quadro	picture/painting
il piumone	duvet
le lenzuola	sheets
il forno a micro-onde	microwave oven
la doccia	shower
il divano-letto	sofa bed
l'aspirapolvere	vacuum cleaner
la lavastoviglie	dishwasher
il bidè	bidet
il lavandino	wash basin
la scrivania	desk
lo specchio	mirror
il frigorifero	fridge
l'armadio	wardrobe
il tappeto	carpet
lo scaffale	shelf
la sedia	chair
l'idromassaggio	jacuzzi
la stufa elettrica	electric heater

Section 8
giallo/a	yellow

Lavoro di coppia/PARTNER WORK

1 Look at the plan of the flat below and describe it to your partner, so that s/he can try to sketch a plan.

Now your partner will describe his/her flat. Sketch the rooms in the space below.

2 Draw a bedroom and furnish it with at least ten items. Then describe it to your partner. Use the glossary as a reference.

Now listen to your partner's description of his/her bedroom and place the items you hear around the room. Use a separate piece of paper if necessary.

Lavoro di coppia/PARTNER WORK

1 Listen to the description of your partner's flat and sketch the rooms in the space below.

Look at the plan of the flat below and describe it to your partner.

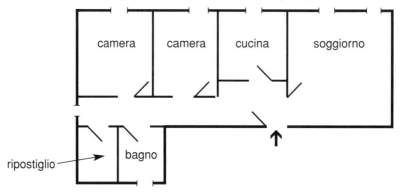

2 Listen to your partner describing where the furniture is in his/her bedroom. Sketch it on the plan below.

Now it is your turn to draw a bedroom and furnish it. Describe it to your partner with the help of the glossary. Use a separate piece of paper if necessary.

In città

By the end of this unit, you will be able to find your way around in town. You will be able to ask for and give directions. You will also be able to buy a train ticket.

1 **Guarda le figure e scrivi le parole corrispondenti in inglese. Poi controlla le risposte nel glossario.**/Look at the pictures and write the English equivalent. Then check your answers in the glossary.

parcheggio *parking*	scuola	farmacia
cabina telefonica	ristorante	distributore
tabaccaio	chiesa	ufficio postale
ospedale	edicola	albergo

dopo _____

dritto	a destra	a sinistra	di fianco/accanto a	di fronte

prima _____

incrocio _____   strisce pedonali _____   piazza _____   semaforo   angolo

2 a Guarda la cartina e riempi gli spazi nei dialoghi con le parole del riquadro/Look at the map and fill in the gaps in the dialogues with words from the box below.

di fronte   dopo   accanto   prima   sinistra   di fronte

1 A Scusi, dov'è la biblioteca?
   B È in via Verdi, _____ al teatro.

2 A Scusi, dov'è l'università?
   B È _____ alla biblioteca, _____ al parcheggio.

3 A Scusa, dov'è il supermercato?
   B È in via Forio, _____ il cinema, a destra.

4 A Scusa, dov'è la scuola Dante Alighieri?
   B È in via Verdi, _____ del fruttivendolo, a _____ .

b Ascolta e controlla/Listen and check.

Asking for directions		
<u>Formally</u>	<u>Informally</u>	
Scus<u>i</u>, dov'è via Verdi?	**Scus<u>a</u>, dov'è via Verdi?**	Excuse me, where is via Verdi?

3 **Leggi e ascolta le indicazioni stradali qui sotto. Seguile sulla cartina dell'esercizio 2. Dove ti trovi?**/Read and listen to the directions below. Follow them on the map in section 2. Where do you end up?

a La prima strada a destra, sempre dritto: è dopo l'ufficio postale a destra.

b Sempre dritto, la seconda a sinistra: è di fronte al parcheggio.

c La prima a sinistra, poi subito a destra, sempre dritto: è accanto al fruttivendolo.

d Sempre dritto, al secondo semaforo gira a destra: è di fronte alla libreria.

4 **Per ciascuna risposta dell'esercizio 3, scrivi la domanda prima in modo formale, poi informale**/For each answer in section 3, write the questions first formally, then informally.

a _____

_____

b _____

_____

c _____

_____

d _____

_____

5 **Guarda gli esempi e formula le domande usando *c'è* o *dov'è*/**Now look at the examples and write questions using either **c'è** or **dov'è**.

a l'università

b un cinema

c un ufficio postale

d il teatro San Carlo

e un parcheggio

f l'hotel Napolitano

> Scusi, c'è una banca qui vicino?
>
> Scusi, dov'è la Banca Nazionale?

Scusi, c'è una banca qui vicino?	Excuse me, is there a bank nearby?
Scusi, dov'è la Banca Nazionale?	Excuse me, where is the Banca Nazionale?

6 **Abbina le seguenti espressioni all'equivalente inglese**/Match the following words with the English equivalent.

Giri   Go

Vada   Continue

Prenda   Take

Attraversi   Cross

Continui   Turn

7 **Ascolta i dialoghi e riempi gli spazi**/Listen and fill in the gaps.

a A Scusi, dov'è il parco?
   B Allora, _____ la prima a sinistra, _____ sempre dritto ed è lì sulla sinistra.

b A Scusa, c'è un ufficio postale da queste parti?
   B Sì, certo. Dunque _____ sempre dritto, _____ la prima a sinistra e _____ la piazza, ed è subito lì a destra.

c A Scusi, c'è un albergo qui vicino?
   B Sì, _____ la prima a sinistra e poi _____ sempre dritto e l'albergo è dopo il fruttivendolo, davanti al parcheggio.

d A Senti, scusa, dov'è la libreria Rizzoli?
   B È vicino all'università, allora _____ sempre dritto, al secondo semaforo _____ a sinistra, poi _____ sempre dritto, in fondo alla strada c'è la libreria.

8 **Guarda nuovamente i dialoghi qui sopra e scrivi a fianco se sono formali (F) o informali (I). Poi sottolinea le parole che lo indicano**/Look again at the dialogues above and write next to each dialogue whether they are formal or informal. Then, underline the words that helped you decide.

9 **Guarda la cartina dell'esercizio 2 e di' se le indicazioni stradali date nell'esercizio 7 sono vere o false**/Look at the map in section 2 and establish whether the directions given in section 7 are true or false.

Formal	Informal	
Vada	**Vai/Va'**	Go
Prenda	**Prendi**	Take
Giri	**Gira**	Turn
Continui	**Continua**	Continue
Attraversi	**Attraversa**	Cross

10 Ascolta e completa/Listen and fill in the gaps.

A Scusi, per andare alla biblioteca Nazionale?
B Eh, guardi, è un po' _____ , deve prendere l' _____ .
A Che numero?
B Il 38 o il 73.
A E dov'è la _____ ?
B È all'angolo, dopo il _____ , davanti all'edicola.
A Dove posso comprare il _____ ?
B Proprio lì, all' _____ .
A Per caso, sa dove devo _____ ?
B La biblioteca Nazionale è in Corso Umberto, deve scendere alla terza
   _____ , dopo il cinema Corallo.
A Grazie.
B Di niente. Arrivederla.

11 a Come vai all'università? Guarda e ascolta/How do you travel to
university? Look and listen.

a piedi

in macchina

in autobus

in metropolitana

in treno

in bicicletta

in tram

**b Chiedi ad almeno 5 compagni di classe come vanno
all'università e completa la scheda**/Ask 5 of your classmates how
they travel to university and complete the grid below.

Nome	Mezzo di trasporto

12 **Metti in ordine il dialogo**/Unscramble the dialogue putting the sentences in the right order.

☐ Un biglietto di andata e ritorno per Roma.

☐ Dal binario 23.

☐ Tra 10 minuti, alle 13:25.

☐ Bene. Da quale binario parte?

☐ Vuole viaggiare con l'Eurostar*?

☐ Sì, va bene. Quanto costa?

☐ Grazie.

☐ A che ora parte il prossimo?

☐ Andata e ritorno viene € 28, incluso il supplemento.

☐ Di niente, arrivederla.

*Not to be confused with the Eurotunnel service.

13 **Ora ascolta e verifica**/Now, listen and check your answer.

14 **Completa il dialogo. Poi ascolta e controlla.**/Complete the dialogue. Then listen and check your answers.

You (Say you'd like a ticket to Florence.) _____

Clerk Andata e ritorno?

You (Say you want a single ticket.)_____

Clerk Va bene. Il prossimo treno è il rapido delle 7:30 e deve cambiare a Bologna.

You (Ask what time the connection is.) _____ la coincidenza?

Clerk Parte alle 10:15 e arriva a Firenze alle 12:25.

You (Say: Alright, one single ticket, please.) _____

Clerk Viene € 26.

You (Ask what platform the train departs from.) _____

Clerk Dal binario 15.

You (Thank him.) _____

15 **In coppia fate questo dialogo usando gli elementi elencati. Poi scambiatevi i ruoli**/In pairs, act out the dialogues below and then swap roles.

Tourist	Clerk
Bari	€ 16
Return	departure 18:15. Arrival 21:20
Timetable	platform 18
Price? Platform?	

Extra!

16 Ascolta e segna il percorso sulla cartina qui sotto/Listen and trace the route on the map below.

17 Guarda il biglietto ferroviario e rispondi alle domande/Look at the train ticket below and answer the questions.

a For how many people is the ticket valid?
b From what station to what destination is the ticket valid?
c How long is the ticket valid for?

Grammatica/GRAMMAR

- **The imperative**
  The imperative is used to give instructions or orders and to make strong suggestions. There are two types of imperative: Informal and Formal.

- Informal imperative (**tu/voi**)
  The forms of the informal imperative are the same as those of the present tense. The exception is the **tu** form of the verbs ending in **-are** which always ends in **-a** in the imperative.

	scus**are**	prend**ere**	part**ire**
(tu *you singular*)	scus**a**	prend**i**	part**i**
(voi *you plural*)	scus**ate**	prend**ete**	part**ite**

- Formal imperative (**Lei/Loro**)
  The forms of the formal imperative are:

	scus**are**	prend**ere**	part**ire**
(Lei *you singular*)	scus**i**	prend**a**	part**a**
(Loro *you plural*)	scus**ino**	prend**ano**	part**ano**

In contemporary usage, the **voi** form is preferred to the **Loro** form of the imperative.

- **Irregular imperative**

	avere	essere	andare	dare	dire	fare	stare	venire
(tu)	abbi	sii	va'/vai	da'/dai	di'	fa'/fai	sta'/stai	vieni
(voi)	abbiate	siate	andate	date	dite	fate	state	venite
(Lei)	abbia	sia	vada	dia	dica	faccia	stia	venga
(Loro)	abbiano	siano	vadano	diano	dicano	facciano	stiano	vengano

- **Negative form**
  The negative **tu** form is expressed with **non** + infinitive.
  Non andare via! Don't go away!

  The negative **voi**, **Lei** and **Loro** forms are the same as the affirmative preceded by **non**.
  Non vada via.
  Non andate via.
  Non vadano via.

Esercizi di grammatica/GRAMMAR EXERCISES

Locations

1 Complete the text with the correct words from the box. The remaining words will give the answer to the question at the end of the text.

dell'	alla	di	casa	nel	a	dell'	scuola	alla	lì
	Marco	al	in	al	alla	di fronte			

Marco è _____ fermata _____ autobus, vicino alla stazione Termini di Roma
e deve andare a studiare _____ biblioteca. La biblioteca non è lontana, deve
prendere l'autobus numero 37 e scendere _____ terza fermata davanti _____
cinema Astra. _____ _____ cinema c'è un bar e Marco prende un caffè.
_____ incontra Claudia, una vecchia compagna di _____ e fanno una
passeggiata _____ parco. Le ore passano e hanno fame, così vanno a pranzo
_____ mensa _____ università.

Dove vanno Marco e Claudia dopo pranzo? _____

Directions

2 Look at the map in section 2 and follow the instructions below. Start from 'You are here'.
Where do you end up?

Vai sempre dritto, al primo
semaforo gira a destra, poi
prendi la prima a sinistra
passando davanti al cinema,
vai ancora dritto, continua
fino all'incrocio e vai a
sinistra, continua sempre
dritto ed è lì in fondo alla
strada tra la scuola e l'hotel.

3 Write the directions again using the **Lei** form of the imperative.

4 Write the directions again using the **voi** form of the imperative.

Glossario/GLOSSARY

Section 1

parcheggio	parking
cabina telefonica	telephone booth
tabaccaio	tobacconist
ospedale	hospital
scuola	school
ristorante	restaurant
chiesa	church
edicola	newspaper kiosk
farmacia	pharmacy
distributore	petrol station
ufficio postale	post office
albergo	hotel
dritto	straight on
a destra (di)	on the right (of)
a sinistra (di)	on the left (of)
accanto (a)/di fianco (a)	next (to)
di fronte (a)	opposite
prima (di)	before
dopo	after
incrocio	crossroads
strisce pedonali	zebra crossing
piazza	square
semaforo	traffic lights
angolo	corner

Section 2

supermercato	supermarket
fruttivendolo	greengrocer

Section 3

la prima strada a destra	the first turning on the right
la seconda a sinistra	the second on the left
libreria	bookshop

Section 5

qui vicino	nearby

Section 7

parco	park
da queste parti	nearby
è subito lì	it's right there
davanti a	in front of
dietro (a)	behind

Section 10

complicato	complicated
prendere l'autobus	to take the bus
fermata	(bus) stop
biglietto	ticket
proprio lì	right there
scendere	to get off

Section 12

biglietto di andata e ritorno	return ticket
viaggiare	to travel
supplemento	supplement
il prossimo treno	the next train
binario	platform

Grammar exercises

vicino a	next to
lontano	far
incontrare	to meet
compagno/a di scuola	school mate
avere fame	to be hungry
passando davanti	going past
in fondo a	at the end of

Further practice

l'offerta è dedicata	the offer is for
consiste	consists
sconto	discount
l'unica condizione	the only condition
insieme	together
acquistare	to buy
a bordo	on board
oltre 60 anni	over 60
avete superato i 12 anni?	are you over 12 years of age?

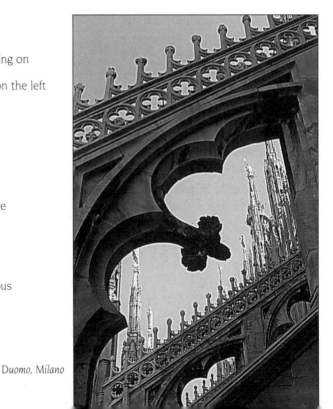

Duomo, Milano

Lavoro di coppia/PARTNER WORK

A

1 Look at the map below and answer your partner's questions.

You are here

2 Ask your partner directions to get to the places below and trace the route on the map.

Teatro della Scala
Basilica di San Lorenzo
Stazione Porta Genova
Parco Sempione
Policlinico

Lavoro di coppia/PARTNER WORK

B

1 Ask your partner directions to get to the places below and trace the route on the map.

Museo Archeologico
Stazione Centrale
Museo Leonardo da Vinci
Duomo
Giardini Pubblici

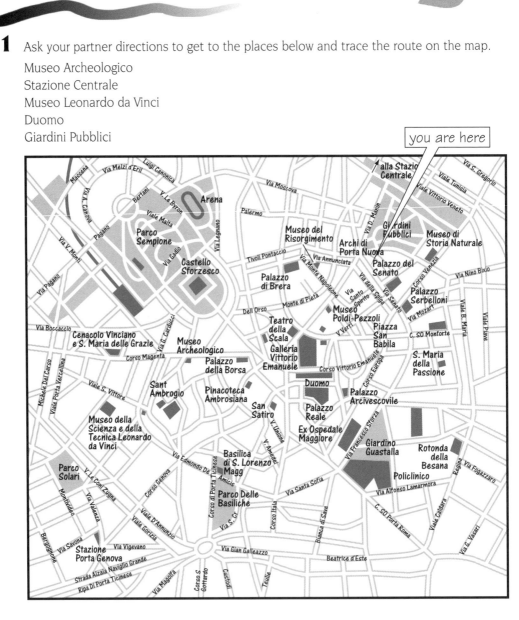

you are here

2 Look at the map and answer your partner's questions.

8 Ti va di ...?

By the end of this unit you will be able to arrange a meeting, suggest something to do, accept and refuse invitations, and deal with telephone calls. You will also learn to describe somebody's personality and physical appearance.

1 **Copri il testo qui sotto, ascolta i dialoghi e prendi appunti in inglese/**
Cover the text below, listen to the dialogues and take notes in English.

	Suggestion	Accepts	Refuses
a	_____	_____	_____
b	_____	_____	_____
c	_____	_____	_____
d	_____	_____	_____

a A Senti, perché non andiamo a vedere un film stasera?
   B Ma che bella idea! Io vorrei vedere 'La leggenda del pianista sull'oceano'.
   A Sì, per me va bene.
b A Ti va di venire a cena a casa mia domani sera?
   B No, mi dispiace, ho già un impegno …
c A Beviamo qualcosa?
   B Volentieri. Ho una sete!
d A Perché non facciamo una festa per il tuo compleanno?
   B Mmmmmhh … veramente non mi va. Odio le feste!

Making suggestions

Asking informally	**ti**		**Ti va di andare a cena fuori?**
Asking formally	**le**	**va di** + infinitive	**Le va di andare a cena fuori?**
Asking two or more people	**vi**		**Vi va di andare a cena fuori?**
			Do you fancy going out for dinner?

Perché non + 'we' form of the present tense   **Perché non mangiamo in giardino?**
Why don't we have lunch out in the garden?

'We' form of the present tense – question form   **Prendiamo un caffè?**
Shall we have a coffee?

Accepting
Sì, volentieri. Yes, with pleasure
Va bene. O.K.
Perché no? Why not?
D'accordo. Alright.

Refusing
No, mi dispiace, ma … I'm afraid …
Veramente … Actually …
No, non mi va. No, I don't feel like it.

2 **Scrivi delle frasi proponendo a un amico/un'amica di fare queste cose. Segui l'esempio**/Write sentences making the following suggestions to a friend. Follow the model below.

mangiare una pizza
Perché non mangiamo una pizza?
Ti va di mangiare una pizza?
Mangiamo una pizza?

a bere un caffè   **c** andare in piscina

b fare una partita di tennis   **d** giocare a calcio

3 **Ascolta il dialogo e scrivi in inglese che cosa propone Luciana**/ Listen to the dialogue and take notes in English about Luciana's suggestions.

a _____

b _____

c _____

d _____

4 **Riascolta e scrivi in inglese se Silvia accetta o rifiuta e perché**/ Listen again and write down in English whether Silvia accepts or refuses and why.

	Accepts	Refuses	Why
a	_____	_____	_____
b	_____	_____	_____
c	_____	_____	_____
d	_____	_____	_____

Al mare

5 **Scrivi una lista di cinque cose che vuoi fare questo fine settimana. Poi proponile al tuo/alla tua partner, che deve accettare o rifiutare**/Make a list of five ideas for the weekend and suggest them to your partner, who will either accept or refuse.

6 **a Completa il dialogo con le parole del riquadro**/Complete the dialogue with the words in the box below.

perché	sono	impegni	scusa	bene	alle	vediamo	non
		d'accordo	va				

Mario	Pronto?
Lisa	Pronto, Piero?
Mario	No, _____ Mario, come va?
Lisa	Mario?!?
Mario	Sì, Mario Mautone …
Lisa	Mario! _____ , ma è da tanto che non ci sentiamo!
Mario	Come stai?
Lisa	Io bene, grazie. E tu?
Mario	Abbastanza bene. Senti, _____ non ci vediamo così ti racconto tutte le novità?
Lisa	Sì, certo, quando ci _____ ?
Mario	Be', domani sera non ho ancora _____ .
Lisa	Domani va bene.
Mario	Che facciamo?
Lisa	Ti _____ di andare a cena fuori?
Mario	Dove andiamo? … No, aspetta … perché _____ vieni a cena da me?
Lisa	OK, _____ . A che ora ci vediamo?
Mario	Facciamo _____ otto?
Lisa	Meglio alle otto e mezza. Finisco di lavorare tardi.
Mario	Va _____ . Allora ti aspetto alle otto e mezza.
Lisa	A domani, allora. Ciao!

b Ascolta e verifica/Listen and check if you were right.

7 **Rileggi il dialogo e scrivi le domande usate per finalizzare un appuntamento**/Read the dialogue again and write down the questions used to finalise the date.

When: _____

Where: _____

At what time: _____

8 **Ascolta le telefonate e sottolinea le espressioni usate per rispondere al telefono, per chiedere di qualcuno e per identificarsi**/Listen to the telephone calls and underline the phrases used to answer the phone, to ask to speak to someone, and to identify oneself.

a A Pronto?
   B Buonasera. C'è Marco?
   A Chi parla?
   B Sono Mario.
   A Un attimo, lo chiamo.

b A Sì?
   B Posso parlare con Giuliana?
   A Mi dispiace, Giuliana è uscita.
   B Quando ritorna?
   A Veramente, non lo so.
   B Posso lasciare un messaggio?
   A Sì, certo.

c A Banco San Paolo, buongiorno.
   B Buongiorno. Vorrei parlare con il dottor Mancini.

   A Mi dispiace, in questo momento è occupato. Vuole lasciare un messaggio?
   B No, grazie, richiamo dopo.

d A Pronto?
   B Laura? Sei tu?
   A Come, scusi?
   B Non è il 41 33 19?
   A No, ha sbagliato numero.
   B Oh, scusi.

e A Pronto?
   B Ciao, Luigi. Sono Mara.
   A Pronto?!?
   B Luigi?!?! Sono io, Mara … Mi senti?
   A Non sento niente …

Dealing with telephone calls	
Answering the phone	**Pronto?**
	Sì?
	Name of company … + **buongiorno/ buonasera**
Asking to speak to somebody	**C'è … ?**
	Posso parlare con … ?
	Vorrei parlare con …
Identifying oneself on the phone	**Sono** + name.
Checking you have dialled the correct number	**Non è il …**+ number ?
Pointing out that it is the wrong number	**Ha sbagliato numero.**
Asking if you can leave a message	**Posso lasciare un messaggio?**
Asking if the caller wants to leave a message	**Vuole/Vuoi lasciare un messaggio?**

9 **Lavorate in coppia e fate la seguente telefonata**/Work in pairs and make the following telephone call.

A You are Gianni and you want to speak with Luisa.
B You are Luisa's boyfriend. Luisa has gone out.
A Leave a message for Luisa: you are giving a party at your place on Sunday and you would like her to come at about 8 or 9 o'clock.
B You take the message.

10 **a Copri il testo e ascolta il dialogo. Poi decidi se le affermazioni qui sotto sono vere o false, spiegando perché**/Cover the text, listen to the phone call and decide whether the statements below are true or false and say why.

	True	False
1 Licia and Kevin want to exchange language conversation lessons.	_____	_____
2 Kevin has lived in Italy for two years.	_____	_____
3 They arrange to meet the following week at five o'clock.	_____	_____
4 Licia has a tattoo.	_____	_____

Kevin Pronto?
Licia Sì?
Kevin Chiamo per lo scambio di conversazione. C'è Licia?
Licia Sì, sono io. Chi parla?
Kevin Ciao. Mi chiamo Kevin. Studio l'italiano da due anni e vorrei fare pratica di conversazione.
Licia Ah, bene! Io invece studio l'inglese, ma non lo parlo molto bene ...
Kevin Capisco ... Allora, quando vogliamo cominciare?
Licia Anche domani. Io sono libera dopo le 4.
Kevin Io finisco le lezioni alle 4.30 ...
Licia Allora, perché non ci vediamo alle 5 al bar di fronte alla biblioteca?
Kevin Sì, perfetto. Senti, come facciamo a riconoscerci?
Licia Beh, io sono alta, ho i capelli corti, lisci e biondi e porto gli occhiali.
Kevin Io invece sono abbastanza basso ... sono magro, ho la barba e i baffi, sono bruno, ho i capelli ricci e lunghi e porto un orecchino al naso.
Licia Mamma mia! E hai anche un tatuaggio?
Kevin Sì, però non si vede ...
Licia Ah, bene! Non vedo l'ora d'incontrarti ...
Kevin Bene, Licia. Allora, a domani.
Licia Ciao, Kevin.

b Riascolta il testo e verifica/Listen again with the text in front of you and check if you were right.

c Ora sottolinea tutte le parole nel testo che riguardano la descrizione fisica di Licia e Kevin. Consulta il glossario se necessario/Now underline all the words in the text concerning the physical description of Licia and Kevin. Use the glossary if necessary.

11 **Ora guarda le figure e descrivi Licia e Kevin**/Now look at the pictures and describe Licia and Kevin.

Licia è alta.

Kevin è basso.

12 **Con l'aiuto del glossario, leggi la lettera di Marco e scrivi i nomi sotto ciascuna persona nella vignetta**/With the help of the glossary, read Marco's letter and write the name of each person in the picture.

Perugia, 25 novembre

Cara Fiorella,

ti mando la foto della festa del mio compleanno. Questi sono i miei nuovi amici qui all'università. Quello al centro con il cappello sono io, naturalmente. La ragazza grassottella, bionda, con gli occhiali e i capelli lunghi lisci si chiama Paola ed è molto simpatica. Il ragazzo con il bicchiere in mano, alto e magro, è Robert, uno studente francese che è in classe con Paola. È un po' antipatico perché è troppo arrogante. Vicino a lui c'è Marlene, la ragazza con la coda di cavallo che studia ingegneria elettronica ed è un genio. È davvero intelligente, sai, anche se è un po' secchiona. È di Londra e parla l'italiano perfettamente. Poi, quello calvo, robusto, a destra, si chiama Luigi. È molto gentile e altruista, ma è un po' timido. Qui all'università è il mio migliore amico.

Quando vieni a trovarmi così te li presento?

Baci.   Marco

Extra!

13 Lettura/Reading

Leggi il calendario delle manifestazioni di settembre e metti il numero della locandina accanto alla categoria appropriata/Read the calendar of events for the month of September and put each entry number next to the correct heading.

| Music | Festivals | Markets |

1. Perugia La Sagra della musica. È il maestro cubano Leo Browner ad inaugurare, con la prima assoluta di *Concierto Cantata de Perugia*, la 54a *Sagra Musicale Umbra*. Dal 16 al 25 settembre la rassegna propone nove concerti: si va dall'opera rock *Darwin* del Banco, ai coristi francesi dell'Ensemble Organum con la *Messa di Notre Dame* di Guillame de Machaut, agli australiani del Song Company. I concerti si terranno oltre che a Perugia anche a Città della Pieve, a Sangemini, a Torgiano, Foligno, Panicale e tra i container che ospitano i terremotati di Scopoli. [Info: 075-5990443]

2. Rovereto Ultimi giorni per il *Festival Oriente Occidente*: questa sera la compagnia L'impasto presenta *Trionfo anonimo*. Domani si chiude con una coreografia dedicata a Romeo e Giulietta *The Dance of Nothing* della compagnia di danza israeliana Liat Dror & Nir Ben Gal. [Info: 0464431660]

3. Manciano (GR) Sarà una fiaccolata notturna a cavallo a chiudere la *Festa delle Cantine*. Per tre giorni dal 10 al 12 settembre, Manciano, piccolo borgo nel cuore della Maremma, aprirà ai visitatori le locande, le botteghe e le cantine del centro storico per poter gustare il "ciaffagnone" e tutti i piatti tipici della zona, il tutto annaffiato dal buon vino locale. Fra un piatto e un bicchiere si potrà inoltre assistere a una serie di spettacoli allestiti per le vie del borgo, come la mostra di dipinti di artisti locali. [Info: 0564-629218]

4. Venezia Per il ciclo *Civiltà Musicale Veneziana*, Arturo Tamayo dirige l'Orchestra del Teatro La Fenice nella prima esecuzione italiana di *Flute and Orchestra* di Morton Feldman. Viene anche eseguita *Ausstrahlung*, per voce femminile, flauto, oboe, orchestra e nastro magnetico di Bruno Maderna. Alle 20.30 Chiesa di Santo Stefano. [Info: 041-5213527]

5. Sant'Anna Arresi (CA) Per *Ai confini tra Sardegna e Jazz* concerto di Richard Galliano. Domani si chiude con la produzione originale *Prove dell'Orchestra, Le Lunghe Canne*. [Info: 0781-966102]

6. Reggio Calabria Per festeggiare la protettrice della città, la Madonna della Consolazione, si porta in processione, a spalla, la pesante struttura con il quadro della Vergine. [Info: 0065-21171]

7. Erba (CO) È una commissione di esperti a selezionare gli espositori e a garantire l'autenticità dei pezzi messi in vendita alla manifestazione fieristica *Antiquariato in Erba* che si svolge fino al 12 al Centro Lario Fiere. [Info.: 031-615111]

8. Caldonazzo (TN) Si festeggia la mela nelle antiche corti chiamate porteghi e in piazza Municipio. Le mele, coltivate nella piana, sono ben esposte sulle bancarelle, accanto agli stand enogastronomici e ai prodotti di artigianato. Fino a domenica sono previste anche animazioni con acrobati, clown, gruppi folkloristici e musicali. [Info: 800-01892]

14 Scrittura/Writing

Dopo aver letto il calendario qui sopra, scrivi una lettera a un amico/un'amica invitandolo/a a venire con te in Italia a settembre e proponi delle attività da fare insieme/Write to a friend and invite him/her to come to Italy with you in September. On the basis of the calendar of events above, make suggestions on where you can go and what you can do together.

> Londra, 12 agosto
> Caro/a …
> come stai? Io bene, anche se ho molto bisogno di una vacanza. Ti va di venire con me in Italia? _____
> Aspetto una risposta. A presto.

Grammatica/GRAMMAR

- **Direct object pronouns**

  - Direct object pronouns take the place of the direct object. The direct object answers the implied question *who*? or *what*?

    Ogni giorno compro il giornale.   Every day I buy the newspaper.
    Il giornale is the direct object. What do I buy every day? **Il giornale.**

    Lo compro ogni giorno.   I buy it every day.
    Lo stands for **il giornale** and is a direct object pronoun.

  - The direct object pronouns are:

Singular		Plural	
mi	me	**ci**	us
ti	you (informal)	**vi**	you (informal)
La	you (formal)	**Li** (m), **Le** (f)	you (formal)
lo	him, it	**li** (m)	them
la	her, it	**le** (f)	them

  - Unlike English, direct object pronouns come before the verb.
    <u>**Lo**</u> **compro ogni giorno.**   I buy it every day.

  - The direct object pronouns **lo** and **la** are frequently elided before verbs starting with a vowel or with an 'h'.
    Ascolti mai la radio?   Do you ever listen to the radio?
    Sì, l'ascolto sempre.   Yes, I always listen to it.

- **Verbs taking a direct object**
  The following are some of the most common verbs used with a preposition in English that take a direct object in Italian.

ascoltare qualcuno/qualcosa	to listen to somebody/something
aspettare qualcuno/qualcosa	to wait for somebody/something
cercare qualcuno/qualcosa	to look for somebody/something
chiedere qualcosa	to ask for something
guardare qualcuno/qualcosa	to look at somebody/something
pagare qualcosa	to pay for something

Grammatica/GRAMMAR

● **Indirect object pronouns**

– Indirect object pronouns take the place of the indirect object. The indirect object answers the implied questions *to whom*? or *for whom*?
   Che cosa regali a Carla per Natale?   What will you give Carla for Christmas?
   Le regalo un CD.   I will give her a CD.
   a Carla is the indirect object; **le** stands for **a Carla** and is the indirect object pronoun.

– The indirect object pronouns are:
   Singular   Plural
   mi   to me   **ci**   to us
   ti   to you (informal)   **vi**   to you (informal)
   Le   to you (formal)   **Loro**   to you (formal)
   gli to him   **gli/loro** to them (f/m)
   le   to her
   Note that **gli** (third person plural) is used more often than **loro**, especially in speech.

– Unlike English, the indirect object pronouns come before the verb except for **loro**.
   <u>Le</u> scrivo ogni settimana.   I write to her every week.

   Scrivo <u>loro</u> ogni domenica.   I write to them every Sunday.

– The indirect object pronouns are never elided.
   <u>Vi</u> insegno l'italiano.   I teach you (pl) Italian.

Una strada in città

Esercizi di grammatica/GRAMMAR EXERCISES

Direct object pronouns

1 Fill in the gaps with the correct pronouns.

a Quando incontri Paolo? – _____ incontro domani alle 5.
b Conosci Lisa e Anna? – Sì, certo. _____ conosco da anni.
c Compri spesso CD di musica classica? – No, non _____ compro mai.
d Adoro leggere libri d'avventura. E tu? – Io no, non _____ leggo mai.
e Bevi un caffè? – No, non _____ bevo mai. Sono troppo nervosa.
f Vuoi l'antipasto? – Sì, _____ dividiamo?

Indirect object pronouns

2 Fill in the gaps with the correct pronouns.

a Ragazzi, _____ posso offrire qualcosa?
b Signora Altani, _____ posso portare la valigia?
c Che cosa regali ai tuoi genitori? – _____ regalo un televisore nuovo.
d Cari amici, _____ comunico che il mese prossimo mi sposo.
e Mia sorella non studia mai ed io spesso _____ consiglio di lasciare l'università.
f Ragazzi, _____ telefono appena possibile.

Direct or indirect object pronouns?

3 Fill in the gaps in the passage below.

George è uno studente gallese che lavora part-time in un ufficio di grafica. Il lavoro è molto interessante anche se stressante. La direttrice _____ chiama continuamente e _____ dà sempre nuovi incarichi. Tutti i giorni George _____ prepara un resoconto del lavoro svolto e spesso _____ accompagna alle conferenze internazionali di grafica. La direttrice _____ promette ogni giorno un aumento di stipendio, però George non _____ crede e pensa di cercare un altro lavoro meno impegnativo per avere il tempo di studiare.

Physical description

4 Describe these people as in the example:

Maria (bassa – grassottella – capelli lunghi – occhi verdi – simpatica)
Maria è bassa e grassottella, ha i capelli lunghi e gli occhi verdi. È simpatica.

a Paolo (alto – robusto – capelli ricci corti – occhi neri – timido – pigro)
b Mia madre (bassa – magra – occhiali – capelli biondi – dolce – allegra)
c Marco e Luigi (gemelli – alti – baffi – barba – capelli rossi – lentiggini – intelligenti – spiritosi)
d Jill e Helen (gemelle – di media statura – snelle – occhiali – eleganti – ambiziose)
e Il nonno di Sunil (anziano – calvo – barba lunga grigia – alto – robusto – dinamico – giovanile)

Glossario/GLOSSARY

Section 1

la leggenda	legend
il/la pianista	pianist
l'oceano	ocean
l'impegno	commitment
avere sete	to be thirsty
il compleanno	birthday

Section 2

la partita	game

Section 3

essere a dieta	to be on a diet
anzi	on the contrary
astemio/a	teetotaller
che noia!	how boring!
incontentabile	difficult to please

Section 6

raccontare	to tell
la novità	the latest
aspettare	to wait
facciamo alle 8	let's say at 8 o'clock

Section 8

un attimo	just a moment
occupato/a	busy
richiamare	to call back
pronto?	hello?
sentire	to hear
sbagliare	to make a mistake

Section 10

lo scambio	exchange
libero/a	free
fare pratica	to practise
riconoscersi	to recognise each other
l'orecchino	earring
il naso	nose
il tatuaggio	tattoo
alto/a	tall
basso/a	short
portare	to have/to wear
barba	a beard
i baffi (pl)	a moustache
magro/a	thin
i capelli (pl)	hair
riccio/a	curly
liscio/a	straight
lungo/a	long
corto/a	short
biondo/a	blond
bruno/a	brown/dark
gli occhiali	spectacles

Section 12

il cappello	hat
grassottello/a	chubby
simpatico/a	nice
antipatico/a	unpleasant
arrogante	arrogant
la coda di cavallo	pony-tail
il genio	genius
davvero	really
intelligente	intelligent
un/a secchione/a	a swot
calvo/a	bold
robusto/a	robust/sturdy
altruista	selfless
gentile	kind
timido/a	shy
il migliore	the best

Section 13

la sagra	festival
la prima	première
terremotato/a	earthquake victim
la coreografia	choreography
la danza	dance
la fiaccolata	torchlight procession
notturno/a	nocturnal
a cavallo	on horseback
la cantina	wine cellar
il borgo	village
la locanda	inn
la bottega	small, family-run shop
gustare	to taste
lo spettacolo	show
il dipinto	painting
l'esecuzione	performance
il flauto	flute
la processione	procession
il quadro	painting
a spalla	on one's shoulders
pesante	heavy
la struttura	structure
selezionare	to select, to shortlist
garantire	to guarantee
in vendita	on sale
la fiera	fair
festeggiare	to celebrate
la mela	apple
la corte	court-yard
la piana	plain
la bancarella	market stall
l'artigianato	crafts/handicrafts
il prodotto	product
l'acrobata	acrobat

Glossario/GLOSSARY

Section 14		Further practice	
avere bisogno di qualcosa	to need something	prossimo/a	next
		fammi sapere	let me know
Grammar exercises		il matrimonio	marriage
stressante	stressful	il rapporto	relationship
l'incarico	task	sano/a	healthy/sound
il resoconto	report	il principio	principle
promettere	to promise	annoiato/a	bored
l'aumento	increase	la/il vedova/o	widow/widower
lo stipendio	salary	la casalinga	housewife
impegnativo/a	demanding	professionista	professional
verde	green	riservato/a	reserved
castano/a	brown	pari requisiti	same requirements
dolce	sweet	scopo amicizia	with view to friendship
allegro/a	cheerful	straniero/a	foreign
rosso/a	red	il cuore	heart
gemello/a	twin	la bontà	goodness
le lentiggini	freckles	impiegato/a	white collar worker
spiritoso/a	witty	stabile	stable
di media statura	of medium height	perditempo	time waster
snello/a	slim	la fedeltà	faithfulness
elegante	elegant	la lealtà	loyalty
ambizioso/a	ambitious	soddisfare	to satisfy
anziano/a	elderly	reciproco/a	reciprocal
grigio/a	grey	subito	immediately
dinamico/a	dynamic	fermoposta	PO Box
giovanile	youthful	il cellulare	mobile phone
		la coppia	couple

Ecco i miei amici!

Lavoro di coppia/PARTNER WORK

1 You would like to go out with one of your classmates next week. Fill in your diary below with your commitments, then make arrangements with him/her.

	Lunedì	Martedì	Mercoledì	Giovedì	Venerdì	Sabato	Domenica
8–10	*lezione di chimica*						
10–12							
12–14							
14–16							
16–18							
18–20							
20–22							
22–24							

2 Game **Chi è?** Choose one of the people below and answer your partner's questions. You are only allowed to answer **Sì** or **No**.

Now, swap roles. Try and guess which of the above people your partner has chosen by asking questions that require a **Sì** or **No** answer.
È giovane? È una donna? Ha i capelli ricci?

Lavoro di coppia/PARTNER WORK

1 You would like to go out with one of your classmates next week. Fill in your diary below with your commitments, then make arrangements with him/her.

	Lunedì	Martedì	Mercoledì	Giovedì	Venerdì	Sabato	Domenica
8–10							
10–12	piscina						
12–14							
14–16							
16–18							
18–20							
20–22							
22–24							

2 Game **Chi è?** Try and guess which of the people below your partner has chosen by asking questions that require a **Sì** or **No** answer.

È *giovane*? Ha *i capelli lunghi*? È *un uomo*?

Now, swap roles. Choose one of the people above and answer partner A's questions. You are only allowed to answer **Sì** or **No**.

9 Cosa hai fatto ieri?

By the end of this unit you will be able to talk about past events, and ask and answer questions using the past tense.

1 Che cosa hanno fatto sabato scorso? Abbina le frasi alle illustrazioni/What did they do last Saturday? Match the sentences to the pictures.

a Maria ha mangiato una pizza con i suoi amici.
b Lucia e Marika sono uscite e hanno incontrato i loro amici.
c Mauro è andato al cinema.
d Dario ha guardato la TV.
e Carmela e Giulio hanno ballato il tango tutta la sera.
f Anna è arrivata a Londra.
g I miei genitori sono partiti per Parigi.

grammatica

<table>
<tr><td colspan="2" align="center">Passato prossimo/Perfect tense</td></tr>
<tr><td colspan="2">auxiliary verbs (essere/avere) + past participle</td></tr>
<tr><td>Maria ha mangiato una pizza.</td><td>Maria ate a pizza.</td></tr>
<tr><td>Mauro ha mangiato una pizza.</td><td>Mauro ate a pizza.</td></tr>
<tr><td>Mauro e Maria hanno mangiato una pizza.</td><td>Mauro and Maria ate a pizza.</td></tr>
<tr><td>Mauro è andato al cinema.</td><td>Mauro went to the cinema.</td></tr>
<tr><td>Maria è andata al cinema.</td><td>Maria went to the cinema.</td></tr>
<tr><td>Ugo e Lisa sono andati al cinema.</td><td>Ugo and Lisa went to the cinema.</td></tr>
<tr><td>Maria e Lisa sono andate al cinema.</td><td>Maria and Lisa went to the cinema.</td></tr>
</table>

9 Cosa hai fatto ieri?

 2 **Ora dividi i verbi al passato prossimo dell'esercizio 1 nelle due categorie date qui sotto**/Now list the verbs in the past tense in section 1 into the two categories given below.

Verbs with **avere** (**ha, hanno**)
ha mangiato

Verbs with **essere** (**è, sono**)
è andato

3 a Cosa hai fatto ieri? Lavora con un/una partner. Usate *ho* o *sono* per completare le frasi/What did you do yesterday? Work with a partner. Use **ho** or **sono** to complete the sentences.

a _____ mangiato un gelato.

b _____ uscita di casa alle dieci.

c _____ incontrato Gianni al bar.

d _____ ballato la salsa con Giorgia.

e _____ arrivata all'università in ritardo.

b Ascolta e controlla/Listen and check.

 4 **Qual è la regola dell'uso di *essere* e *avere*? Discutine con un/una partner e poi controlla nel riquadro qui sotto**/What is the rule for using **essere** and **avere**? Discuss with a partner and then check below.

grammatica

Use of **essere** and **avere**

what?
Ho preparato la cena.

who?
Ho incontrato Gianni.

where?
Sono andato al cinema.
Sono arrivata*
all'università in ritardo.

When a sentence is a response to a 'where' question, the auxiliary verb is always **essere**. Otherwise it is **avere**.

*When you have the auxiliary verb **essere** the past participle (**arrivato, andato**) always agrees with the subject. See the Grammar section for a full explanation.

5 **Trova l'infinito di questi verbi al passato prossimo**/Find the
infinitive of these verbs.

Passato prossimo	Infinito
ho ascoltato	_ascoltare_
ho ballato	
ho finito	
ho tenuto	
ho dormito	
ho avuto	
sono partito	
sono caduto	
ho venduto	
sono uscito	

6 **Guarda i verbi dell'esercizio 5 e trova la regola per la
formazione del participio passato**/Look at the verbs in section 5 and
work out how the past participle is formed. Then check the rule on the
Grammar page.

7 **Completa i dialoghi con i participi passati nel riquadro
qui sotto, poi ascolta e controlla**/Fill in each gap with a past
participle from the box below. Then listen to the recording and check
your answers.

stati	fatto	addormentata	venute	stata	mangiato	andato
		finito	tornata	andati		

a A Dove siete _____ in vacanza?
  B Io sono _____ una settimana al mare, Lucio invece è
  _____ in montagna e poi siamo _____ insieme a Parigi.

b A Luisa, cosa hai _____ ieri sera?
  B Ho _____ di lavorare tardi, poi sono _____ a casa
  stanchissima, ho _____ un panino, e mi sono _____
  davanti alla televisione.

c A Sai che Maria e Anna sono _____ a trovarmi?
  B Ah sì, come stanno?

Il passato prossimo

	cant<u>are</u> to sing	**vend<u>ere</u>** to sell	**dorm<u>ire</u>** to sleep
ho	cant**ato**	vend**uto**	dorm**ito**
hai	cant**ato**	vend**uto**	dorm**ito**
ha	cant**ato**	vend**uto**	dorm**ito**
abbiamo	cant**ato**	vend**uto**	dorm**ito**
avete	cant**ato**	vend**uto**	dorm**ito**
hanno	cant**ato**	vend**uto**	dorm**ito**

	and<u>are</u> to go	**cad<u>ere</u>** to fall	**part<u>ire</u>** to leave
sono	and**ato/a**	cad**uto/a**	part**ito/a**
sei	and**ato/a**	cad**uto/a**	part**ito/a**
è	and**ato/a**	cad**uto/a**	part**ito/a**
siamo	and**ati/e**	cad**uti/e**	part**iti/e**
siete	and**ati/e**	cad**uti/e**	part**iti/e**
sono	and**ati/e**	cad**uti/e**	part**iti/e**

Verbi riflessivi / Reflexive verbs

alz<u>arsi</u> to get up

mi	**sono**	alz**ato/a**
ti	**sei**	alz**ato/a**
si	**è**	alz**ato/a**
ci	**siamo**	alz**ati/e**
vi	**siete**	alz**ati/e**
si	**sono**	alz**ati/e**

Verbi irregolari / Verbs with an irregular past participle

essere	**sono**	**stato**	dire	**ho**	**detto**
scrivere	**ho**	**scritto**	morire	**sono**	**morto**
leggere	**ho**	**letto**	chiedere	**ho**	**chiesto**
nascere	**sono**	**nato**	fare	**ho**	**fatto**
vedere	**ho**	**visto**	prendere	**ho**	**preso**

grammatica

8 Ascolta le interviste e riempi gli spazi/Listen to how some students at the University of Bologna spent their weekend and fill in the gaps.

a _____ a casa a studiare.

b _____ a ballare, _____ fino alle 5 del mattino.

c _____ una festa, _____ tutti i miei amici, _____ un sacco.

d _____ due amici da Londra, _____ un giro in città e _____ al Museo Nazionale.

e _____ l'influenza, _____ a letto per due giorni e non _____ neanche per mangiare.

9 **Racconta al tuo compagno cosa hai fatto**/Tell your partner what you did on:

venerdì sera   sabato mattina   domenica mattina/pomeriggio/sera

Venerdì sera sono andata in palestra.

10 **Scrivi cosa ha fatto il tuo compagno lo scorso fine settimana**/
Write down what your partner did last weekend.

Domenica pomeriggio è andato/andata allo stadio.

in	biblioteca	**a**	teatro	**al**	mercato	**all'**	università
	discoteca		casa		bar		ufficio postale
	libreria		scuola		supermercato	**alla**	mensa
	pizzeria	**da**	Giulia		ristorante		mostra
	piscina		me		mare	**allo**	stadio
	palestra		te	**dal**	medico		
	farmacia				parrucchiere		

11 **Fa' corrispondere l'espressione italiana con quella inglese. Poi controlla nel glossario**/Match the English with the Italian. Then check your answers in the glossary.

oggi — last month
ieri sera — two years ago
l'altro ieri — this evening
la settimana scorsa → today
il mese scorso — last year
l'anno scorso — three days ago
quest'anno — the day before yesterday
tre giorni fa — yesterday evening
stasera — this year
due anni fa — last week

12 **Chiedi al tuo/alla tua partner quando ha fatto queste cose**/Ask your partner when s/he last did these things.

mangiare una pizza to eat a pizza
A *Quando è stata l'ultima volta che hai mangiato una pizza?*
B *L'anno scorso a Napoli.*

baciare qualcuno to kiss someone
avere un incubo to have a nightmare
fare una festa to have a party
vedere un bel film to see a nice film
corteggiare qualcuno to court someone
ubriacarsi to get drunk

litigare con qualcuno to argue with someone
avere paura to be afraid
conoscere una persona interessante to meet someone interesting
scrivere una poesia to write poetry

107

13 **Ascolta il dialogo e completa le agende di Giulia e Dario**/Listen to the dialogue and complete Giulia and Dario's diaries.

Giulia		Dario	
8.00	_____ università	8.00	_____
9.00	_____	9.00	_____ mercato
10.00	_____ medico	10.00	_____
	_____	11.00	_____ libreria
12.00	_____ biblioteca	12.00	_____
	_____	13.00	_____
14.00	_____ Giovanni	14.00	_____
15.00	_____ palestra		_____ piscina
16.00	_____ ospedale	16.00	_____ Stefano
17.00	_____	17.00	_____
18.00	_____ parrucchiere	18.00	_____ cinema

14 **Ascolta cosa dicono questi studenti che si dividono i lavori di casa e riempi gli spazi con i pronomi**/Listen to a group of students discussing the rota for the weekly chores and fill in the gaps with the direct object pronouns.

Alessia	Allora come ci organizziamo per questa settimana? Chi fa la spesa?
Barbara	Io _____ ho fatta la settimana scorsa, ora tocca a te.
Carlo	E i piatti? Io _____ ho lavati tutte le sere.
Dario	Va bene, _____ lavo io, ma allora tu innaffi le piante, io _____ ho innaffiate tutto il mese scorso.
Barbara	Va bene, _____ innaffio io. E tu Alessia pulisci il bagno?
Alessia	No, mi dispiace, _____ ho pulito anche la settimana scorsa, ora tocca a te.

15 **Cosa hanno fatto la settimana scorsa? Trova le risposte giuste**/Who did what last week? Find the right answer.

il bagno	li ha lavati Carlo
la spesa	l'ha pulito Alessia
i piatti	le ha innaffiate Dario
le piante	l'ha fatta Barbara

grammatica

Io ho pulito <u>il</u> bagno.	<u>L'</u>ho pulit<u>o</u> io.
Io ho fatto <u>la</u> spesa.	<u>L'</u>ho fatt<u>a</u> io.
Io ho lavato <u>i</u> piatti.	<u>Li</u> ho lavat<u>i</u> io.
Io ho innaffiato <u>le</u> piante.	<u>Le</u> ho innaffiat<u>e</u> io.

Extra!

16 Lettura/Reading

Leggi la biografia di Massimo Troisi e rispondi alle domande/Read Massimo Troisi's biography (written in the present tense) and answer the questions.

Massimo Troisi <u>nasce</u>* a San Giorgio a Cremano il 19 febbraio 1953, ultimo di sei figli. <u>Comincia</u> a interessarsi al teatro a 15 anni quando ancora frequenta l'istituto tecnico per geometri. Il primo gruppo teatrale in cui <u>recita</u> si chiama I *Saraceni*. Nel '77 <u>nasce</u>* *La Smorfia* altro gruppo teatrale che lo <u>porta</u> al successo. Troisi, Arena, Decaro <u>inaugurano</u> un tipo di teatro che attinge alla farsa napoletana e al cabaret. In oltre dieci anni di attività teatrale, Il Trio <u>mette</u>* in scena una vasta gamma di scenette in cui <u>presentano</u> le caricature, abilmente costruite, dei più diversi tipi umani e sociali. Nel 1981 <u>esce</u> il primo film di Troisi, *Ricomincio da tre*, di cui è regista e protagonista, che <u>ha</u> una grande successo di pubblico e di critica. Dopo questo <u>dirige</u>* altri quattro film: *Scusate il ritardo* (1982), *Non ci resta che piangere* (1984), *Le vie del Signore sono finite* (1987), *Pensavo fosse Amore invece era un Calesse* (1991) e *Il Postino* tratto da un romanzo dello scrittore cileno Antonio Skarnata, il suo ultimo film. Una disfunzione cardiaca <u>segna</u> tutta la sua vita e <u>si aggrava</u> durante le riprese del film. Nelle scene più faticose <u>si fa</u>* sostituire da una controfigura e <u>riesce</u> a terminare il film che si conclude con la sua morte, sia nella finzione scenica che nella vita, per una tragica fatalità che accomuna vita e arte nei grandi interpreti.

*Verbs with an irregular past participle.

a When and where was Massimo Troisi born?
b What is *La Smorfia*?
c What film made him famous?
d What book is the film *Il Postino* based on?
e Why did he need an understudy for some of the scenes?

17 Scrittura/Writing

Riscrivi la biografia di Massimo Troisi cambiando i verbi sottolineati al passato prossimo/Now change the underlined verbs in MassimoTroisi's biography from the present into the past tense.

Siamo andati a cena fuori

Grammatica/GRAMMAR

- **Il passato prossimo**

  - This tense is used to relate actions completed in the past. It corresponds to the English past tense.

  - This tense is also used to relate actions completed in a recent past which may have links to the present. In this case it corresponds to the English present perfect tense.

    È andato al parco means both: He *went to the park* (an action which was completed in the past) and He *has gone to the park* (an action which implies consequences in the present, i.e. you can find him there).

  - It is a compound tense made up of the present tense form of **essere** or **avere** plus the past participle of the main verb.

  - The past participle or **participio passato** of regular verbs is formed by adding the endings **-ato, -uto, -ito** to the stem.

infinitive	past participle
cant**are**	cant**ato**
vend**ere**	vend**uto**
part**ire**	part**ito**

  - The auxiliary verb **avere** is used with transitive verbs, i.e. verbs taking a direct object. In this case the past participle does not agree with the subject.

Oggi ho mangiato la polenta.	Today I ate polenta.
Oggi abbiamo mangiato la polenta.	Today we ate polenta.

  - The auxiliary verb **essere** is generally used with intransitive verbs, i.e. verbs that take an indirect object, and with reflexive verbs. In this case the past participle agrees with the subject.

Silvia è tornata in Spagna.	Silvia went back to Spain.
Marco è andato al cinema.	Marco went to the cinema.
Silvia e Lucia sono andate al mare.	Silvia and Lucia went to the seaside.
Marco e Giovanni sono partiti.	Marco and Giovanni left.
Mi sono divertita/o tanto.	I enjoyed myself a lot.
Ci siamo divertite/i tanto.	We enjoyed ourselves a lot.

  - When a direct object pronoun (see Grammar, Unit 8) precedes the **passato prossimo**, the past participle always agrees with the direct object.

Hai fatto la spesa?	Have you done the shopping?
Sì, l'ho fatta.	Yes, I have done it.
Hai comprato i fiori?	Did you buy the flowers?
No, non, li ho comprati.	No, I didn't buy them.
Hai mai mangiato le fragole?	Did you eat the strawberries?
Sì, le ho mangiate.	Yes, I ate them.
Hai preparato il pranzo?	Have you prepared lunch?
Sì, l'ho preparato.	Yes, I have prepared it.

Esercizi di grammatica/GRAMMAR EXERCISES

Essere or avere?

1 Complete with the appropriate form of **essere** or **avere**.

  a (tu) _____ mai stato a Roma? – Sì, ci _____ stato due anni fa.

  b Ieri (io) _____ andato in discoteca e _____ ballato tutta la notte.

  c (voi) _____ visto l'ultimo film di Nanni Moretti? – Sì, ci è piaciuto tanto.

  d Ieri Elisa e Silvia _____ tornate a casa molto tardi.

  e (tu) _____ spedito il regalo a tua sorella? – No, (lei) _____ partita per Bath e non _____ ancora ricevuto l'indirizzo.

Past participles

2 Complete with the appropriate form of the past participle.

Caro Lino,

come stai? Sono appena (tornare) _____ da Manos dopo un' estate interessante anche se dura. Manos come sai si trova nell' Amazzonia ed è un posto incredibile. Ho (viaggiare) _____ con una ragazza conosciuta a Rio e durante il viaggio siamo (diventare) _____ grandi amiche. Abbiamo (prendere) _____ il pullman da Rio e abbiamo (attraversare) _____ l'interno del Brasile, ci sono volute 52 ore! Siamo (arrivare) _____ a Belen e da lì abbiamo (prendere) _____ un battello fino a Manos. Abbiamo (dormire) _____ in amaca e abbiamo (mangiare) _____ malissimo. Carry, la mia amica si è sentita male. Durante il giorno ci siamo (divertirsi) _____ molto, abbiamo (conoscere) _____ tutti i passeggeri, abbiamo (giocare) _____ a domino, (cantare) _____ , (ballare) _____ e (fare) _____ molte foto. Abbiamo (vedere) _____ molti uccelli esotici e anche i delfini d'acqua dolce, che meraviglia...

Ora ti devo lasciare, ti racconto il resto nella prossima lettera.

A presto,

    Mara

Passato prossimo

3 Complete the sentences with the **passato prossimo**.

  a (tu/lavorare) _____ molto questa settimana? – Sì, (io/finire) _____ tutte le sere alle undici.

  b Vi è piaciuta Londra? – Sì, ma (noi/stancarsi) _____ molto.

  c Per Capodanno (noi/fare) _____ una festa, (noi/divertirsi) _____ un sacco.

  d Ieri (io/giocare) _____ a tennis, (io/cadere) _____ e (io/rompersi) _____ un braccio.

9 Cosa hai fatto ieri?

Glossario/GLOSSARY

<u>Section 1</u>
incontrare — to meet

<u>Section 7</u>
addormentarsi — to fall asleep
venire a trovare — to visit

<u>Section 8</u>
divertirsi — to have fun
fare un giro — to go around
influenza — flu
neanche — not even

<u>Section 11</u>
oggi — today
ieri sera — yesterday evening
l'altro ieri — day before yesterday
la settimana scorsa — last week
il mese scorso — last month
l'anno scorso — last year
quest'anno — this year
tre giorni fa — three days ago
stasera — this evening
due anni fa — two years ago

<u>Section 13</u>
parrucchiere — hairdresser

<u>Section 14</u>
ora tocca a te — now it is your turn
lavare i piatti — to do the washing up
innaffiare le piante — to water the plants
pulire il bagno — to clean the bathroom
fare la spesa — to do the shopping

<u>Section 16</u>
frequentare — to attend
recitare — to act
inaugurare — to initiate
mettere in scena — to stage
scenetta — sketch
caricatura — caricature
regista — director
protagonista — hero/main character
tratto da — taken from
romanzo — novel
disfunzione cardiaca — heart condition
controfigura — understudy

<u>Grammar exercises</u>
spedire — to send
regalo — present
appena — just
si trova — is situated
posto — place
viaggiare — to travel
durante — during
diventare — to become
attraversare — to cross
ci sono volute … — it took …
battello — boat
amaca — hammock
sentirsi male — to feel sick
conoscere — to meet
passeggeri — passengers
cantare — to sing
uccelli — birds
delfini — dolphins
stancarsi — to get tired
Capodanno — New Year's Day
rompersi, rotto — to break, broken
braccio — arm
decorazioni natalizie — Christmas decorations
riparare — to repair
tetto — roof

<u>Partner work</u>
nome d'arte — stage name
carriera — career
influenzare — to influence
incontro — meeting
evento — occasion
trasferirsi — to move
canzone — song
portare al successo — to make famous

<u>Further practice</u>
all'estero — abroad
lingua straniera — foreign language
essere iscritto — to be enrolled
buona pagella — good marks
quadrimestre — term
borsa di studio — scholarship
sistema scolastico — school system
scuola superiore — secondary school
materia — subject

Lavoro di coppia/PARTNER WORK

1 Complete the biography of this Italian singer by asking your partner the appropriate questions. Use the **passato prossimo** where necessary. Check the words you do not know in the glossary.

Qual è il suo nome d'arte?
Dov'è nato?

Nome:	**Adelmo Fornaciari**
Nome d'arte:	_____
Luogo di nascita:	_____
Data di nascita:	_____
Come e dove inizia la sua carriera:	_____
Musica che lo influenza:	_____
Incontro importante del 1986:	_____
Evento importante del 1987:	_____

2 Look at the biography below of the Italian singer Vasco Rossi, and answer your partner's questions. Use the glossary to check the words you do not know.

Nome:	**Vasco Rossi**
Luogo di nascita:	**Zocca (Modena)**
Data di nascita:	**23 marzo 1952**
Dove si trasferisce e quando:	**Bologna, 1971**
Primo lavoro:	**DJ per una radio privata**
Evento importante del 1983:	**Partecipa al Festival di San Remo**
Canzone che lo porta al successo:	**Vita spericolata (*Living on the edge*).**

9 Cosa hai fatto ieri?

Lavoro di coppia/PARTNER WORK

1 Look at the biography below of the Italian singer Zucchero, and answer your partner's questions. Use the glossary to check the words you don't know.

Nome:	**Adelmo Fornaciari**
Nome d'arte:	**Zucchero**
Luogo di nascita:	**Reggio Emilia**
Data di nascita:	**27 giugno 1956**
Dove inizia la sua carriera:	**San Francisco**
Musica che lo influenza:	**Musica 'nera'**
Incontro importante del 1986:	**Joe Cocker**
Evento importante del 1987:	**Concerto con Joe Cocker**

2 Complete the biography of this Italian singer by asking your partner the appropriate questions. Use the **passato prossimo** where necessary. Check the words you don't know in the glossary.

Dov'è nato Vasco Rossi?

Nome:	**Vasco Rossi**
Luogo di nascita:	_____
Data di nascita:	_____
Dove si trasferisce e quando:	_____
Primo lavoro:	_____
Evento importante del 1983:	_____
Canzone che lo porta al successo:	_____

10 Alla ricerca di un lavoro

By the end of this unit you will be able to write a CV, to understand and reply to job adverts and talk about your past work experience. You will also learn to talk about your future plans and aspirations.

1 Abbina le parole con l'aiuto del glossario/Match the words with the help of the glossary.

Esperto/Esperta	Permanent job
Lavoro fisso	CV
Lavoro stagionale	Wanted
Lavoro saltuario	Training
Cercasi	To shortlist
Selezionare	Temping job
Curriculum	Experienced
Tirocinio	Exempt from National Service
Militesente	Interview
Colloquio	Accommodation
Locale	Seasonal job
Alloggio	Entertainment venue (e.g. bar, disco)

 2 Leggi gli annunci e rispondi alle domande/Read the job advertisements and answer the questions.

RISTORANTE-BIRRERIA a Monfalcone cerca urgentemente banconiera con esperienza. Lavoro fisso non stagionale. Chiuso domenica. Per informazioni. **Tel. 0339 5219787.**

EASY LONDON fast food, negozi, ristoranti, alberghi, opportunità lavoro a Londra e Brighton per giovani dell'Unione Europea. Alloggio/corsi lingua inglese. Mattino 9.30/12.30, pomeriggio 15/18.30. Annuncio sempre valido. **Tel. 040-635299 - 0347-0902481 - 03356699256.**

TI PIACEREBBE lavorare nel mondo dello spettacolo o delle vacanze? Telefonaci selezioniamo centinaia di nuove offerte ogni settimana. **Tel. 166.170.240.**

CERCASI INSEGNANTE inglese esperta per lezioni di gruppo. Scrivere a Cassetta 742 c/o Il Mercatino, via Gambini 3 - 34138 Trieste.

PER PROGETTO di tirocinio aziendale supermercati cercano giovani militesenti disponibili alle condizioni prescritte. Maggiori chiarimenti all'eventuale colloquio. Scrivere a Cassetta 746 c/o Il Mercantino, via Gambini 3 - 34138 Trieste.

a Which job/s offer/s accommodation?

b Which job/s require/s excellent knowledge of English?

c Which job/s require/s completion of or exemption from National Service?

d Which advert/s offer/s a permanent job?

e Which job/s would you apply for if you wanted to work in the field of entertainment?

3 Ascolta la telefonata e compila la scheda/Listen to the phone call and fill in the form below.

> Date of interview: _____
>
> Time: _____
>
> Address: _____
>
> Other requirements: _____

4 Leggi questa lettera di risposta ad un annuncio di lavoro e completa il curriculum allegato/Read the following letter written in response to a job advert and complete the CV attached.

> Carola Heisinger
> Via Cavour, 65
> 80132 Napoli
>
> Napoli 9/9/2000
>
> Spett.le Hotel Napoli t'amo
> Direzione del Personale
> Via Toledo, 148
> 80132 Napoli
>
> Preg.mi Signori,
>
> in riferimento al Vostro annuncio su "La Stampa" di oggi per un posto di accompagnatore turistico per la Vostra clientela tedesca, Vi offro la mia opera per il posto in questione.
> Ho 25 anni, sono italo-tedesca e sono nubile. Mi sono laureata in Scienze Turistiche presso l'università di Francoforte nel 1997 e in seguito ho svolto un tirocinio presso l'Hotel Tramonti di Amalfi. Nel 1998 sono stata assunta dall'Hotel Vesuvio di Napoli con mansioni di accompagnatrice turistica, impiego che sto per lasciare a causa di una riduzione del personale.
> Sono esperta nel settore del turismo di gruppo ed ho un'ottima conoscenza della città, della storia e dell'arte di Napoli. Sono bilingue ed ho un'ottima conoscenza dell'inglese e dello spagnolo.
> Accludo una copia del mio curriculum vitae. L'Hotel Tramonti Vi fornirà informazioni sulla mia serietà ed esperienza professionale.
>
> Vi saluto distintamente.
>
> Carola Heisinger.
> Allegato: curriculum vitae.

Curriculum vitae

Nome e cognome: *Carola Heisinger*

Stato civile*

Indirizzo:

Titolo di studio:

Lingue conosciute:

Professione attuale:

Altre esperienze di lavoro:

5 **Ora compila un tuo curriculum**/Now prepare your own CV under the headings below.

Nome e cognome:

Stato civile*

Indirizzo:

Titolo di studio:

Lingue conosciute:

Professione attuale:

Altre esperienze di lavoro:

*Choose from these terms:

nubile	single (for women)
celibe	single (for men)
coniugato/a	married
divorziato/a	divorced
vedovo/a	widower/widow

6 **Ascolta il colloquio di lavoro e compila la scheda**/Listen to the interview and fill in the candidate's profile.

Name: _____

Nationality: _____

Marital status: _____

Place of residence: _____

Academic qualifications: _____

Languages: _____

Professional experience: _____

Present job: _____

 7 **Riascolta e scrivi le domande**/Listen again and write down the interviewer's questions.

a _____

b _____

c _____

d _____

e _____

f _____

 8 **Role play. Immagina di fare un colloquio di lavoro al tuo/alla tua partner e compila la scheda con le informazioni**/Pretend you are interviewing a candidate for a job and fill in the form.

Name: _____

Nationality: _____

Marital status: _____

Place of residence: _____

Academic qualifications: _____

Languages: _____

Professional experience: _____

Present job: _____

9 **Leggi la lettera e rispondi alle domande**/Read the letter and reply to the questions below.

Cara Carola,

come stai? Io sono stressata ma felice perché tra tre mesi finalmente mi Laureo. Non ne posso più! Non vedo l'ora di finire così posso godermi un po' la vita. Prima di tutto vado in vacanza in Sicilia per tutto il mese d'agosto, poi penso di fare un viaggio con la mia amica Licia in Sud America ma non abbiamo ancora deciso dove andare. Io vorrei vedere il Perù e il Messico. Mi piacerebbe anche visitare Cuba ma non so se abbiamo abbastanza soldi. Infatti devo prima lavorare per mettere da parte un po' di soldi (ora sono al verde!) Mi piacerebbe lavorare in un villaggio turistico come animatrice, ma non so se è possibile. Ho un colloquio la prossima settimana con la Valtour … speriamo in bene! Ti faccio sapere al più presto. E tu cosa fai quest'estate? Ti piacerebbe venire con me in Sicilia? Quando finisci gli esami?

A presto. Ti lascio per ora, la tesi mi aspetta!

Marika

a Why is Marika happy?
b What are her plans for the summer?
c What job would she like to do?

<table>
<tr><td rowspan="8">grammatica</td><td colspan="2" style="text-align:center;">Talking about future plans/wishes</td></tr>
<tr><td><u>Present tense</u>
Tra tre mesi mi laureo.</td><td>In three months I will graduate.</td></tr>
<tr><td><u>Present tense of **pensare** + **di** + infinitive</u>
Penso di fare un viaggio in Sud America.</td><td>I am thinking of going to South America.</td></tr>
<tr><td><u>**Vorrei** + infinitive</u>
Vorrei vedere il Perù.</td><td>I would like to visit Peru.</td></tr>
<tr><td><u>**Mi piacerebbe** + infinitive</u>
Mi piacerebbe visitare Cuba.</td><td>I would like to visit Cuba.</td></tr>
</table>

10 **Abbina le parole. Poi controlla nel glossario**/Match the words. Then check your answers in the glossary.

domani	next week
dopodomani	in three days
tra/fra tre giorni	in two months
tra/fra due mesi	next Monday
tra/fra un anno	next year
lunedì prossimo	next month
l'anno prossimo	tomorrow
la settimana prossima	in a year
il mese prossimo	the day after tomorrow

11 **Ascolta Rosaria e Vittoria che parlano dei loro progetti dopo la laurea e prendi appunti in inglese**/Listen to Rosaria and Vittoria talking about their plans after graduation and take notes in English.

Rosaria   **Vittoria**

_____ | _____

_____ | _____

_____ | _____

_____ | _____

_____ | _____

_____ | _____

12 **Racconta al tuo/alla tua partner cosa pensi di fare in questi momenti del futuro**/Tell your partner what you are thinking of doing for the following occasions in the future.

Per il tuo compleanno	On your birthday
Il prossimo fine settimana	Next weekend
La prossima estate	Next summer
Stasera	This evening
A Capodanno	On New Year's Day

Extra!

14 Ascolto/Listening

Ascolta due colleghi che parlano di due candidati selezionati dopo un primo colloquio di lavoro e compila le schede/Listen to two colleagues discussing two candidates shortlisted after a job interview, and fill in the forms.

	Piero Bindi	Anna Mauri
Age:	_____	_____
Marital status:	_____	_____
Languages:	_____	_____
Qualities:	_____	_____
Qualifications:	_____	_____
Work experience:	_____	_____

15 Lettura/Reading

Leggi l'articolo e compila la scheda/Read the article and fill in the form.

LICEO COREUTICO   A Torino danza, canto e teatro per artisti in erba

Vedrai, quegli studenti ... saranno famosi!

Sono bravi e determinati. Molti arrivano dal Sud per le audizioni, tutti hanno in comune una famiglia disponibile a ogni sacrificio, perché il talento non ha prezzo. Così Germana Erba, direttore del liceo Coreutico di Torino (tel. 011 6500 253; fax 011 6500 2541), descrive i suoi ragazzi. Chiamarli studenti è riduttivo: alcuni di loro escono sulle punte e continuano a danzare alla Royal Accademy di Londra o alla scuola di ballo classico di Cuba. Al liceo Coreutico o della danza, istituto privato unico in Italia e sperimentale in Europa, dalle 8 del mattino alle 22 si danza, si canta e si fa teatro. La Fondazione del Teatro Nuovo per la danza è la locomotiva dell'organizzazione che ha studiato e creato i corsi di studio: il liceo artistico tradizionale, il liceo coreutico el il liceo artistico per l'arte e lo spettacolo. Il ministero dell'istruzione ha recentemente riconosciuto il nuovo indirizzo per il liceo artistico per l'arte e lo spettacolo. Una maturità che dà l'accesso a tutti i concorsi previsti dalla normativa di legge.

Attori, cantanti e danzatori devono studiare in cinque anni discipline di area comune più l'indirizzo che può essere coreutico o di arte e spettacolo.

Al biennio si lavora 39 ore, al triennio 40: ma la stima è molto riduttiva perché i tempi si dilatano in funzione delle prove, delle esigenze degli attori.

Al liceo Coreutico possono accedere ai corsi i ragazzi dai 14 ai 19 anni che abbiano già frequentato scuole di danza almeno a un buon livello – continua Germana Erba. Le richieste per le audizioni possono essere presentate in qualunque momento dell'anno scolastico previa telefonata alla direzione scolastica.

Name of the school: _____ **Special subjects:** _____

Duration: _____ **Requirements for admission:** _____

Grammatica/GRAMMAR

● **How to express the future**

– There is a distinct future tense in Italian. However, to convey the idea of the future it is more common to use the present tense, especially when a high level of certainty is implied.

Tra una settimana vado in Italia.   In a week I'm going to Italy.

– When there is not such certainty about a future event, the following two expressions are preferred: **pensare + di +** infinitive and **forse +** present tense.

Penso di andare in Sicilia a settembre.   I'll go to Sicily in September.

Forse vado in Sicilia a settembre.

– To express a wish in the future, you can use either the conditional of **volere** followed by the infinitive of the verb or the conditional of **piacere** and the infinitive of the verb.

Vorrei andare a Rio a luglio.   I'd like to go to Rio in July.

Mi piacerebbe andare a Rio a luglio.

– Here are the conditional of the verb **volere** and the conditional of the verb **piacere** (see Unit 4). Remember that **piacere** takes indirect pronouns (see Unit 8).

(io)	**vorrei**	**mi**	**piacerebbe**
(tu)	**vorresti**	**ti**	**piacerebbe**
(lui/lei/Lei)	**vorrebbe**	**gli/le/Le**	**piacerebbe**
(noi)	**vorremmo**	**ci**	**piacerebbe**
(voi)	**vorreste**	**vi**	**piacerebbe**
(loro/Loro)	**vorrebbero**	**gli**	**piacerebbe**

Venezia sotto la pioggia

Esercizi di grammatica/GRAMMAR EXERCISES

Passato prossimo

1 Fill in the gaps with the appropriate form of the past tense.

a (Io/laurearsi) _____ tre anni fa.

b Quando (tu/diplomarsi) _____ ?

c (Io/diplomarsi) _____ l'anno scorso.

d (Noi/frequentare) _____ insieme un corso d'informatica due mesi fa.

e Ieri (io/vedere)_____ un annuncio di lavoro e (io/mandare) _____ il mio curriculum.

f Ieri Giuseppe (avere) _____ un colloquio di lavoro.

Present

2 Complete the sentences with the appropriate form of the present tense.

a Che cosa (tu/fare) _____ sabato?

b Quando (voi/partire) _____ per l'Australia?

c L'estate prossima Mara (andare) _____ a Gerusalemme con Therese e con sua madre.

d Tra una settimana (noi/cambiare) _____ casa.

e Modesto (uscire) _____ con Carmela domani sera, (loro/andare) _____ a vedere 'La gatta Cenerentola'.

Time expressions

3 Complete the sentences with **tra/fra, domani, dopodomani, prossimo/prossima**.

a Ti richiamo _____ mezz'ora.

b Domenica _____ viene Luca a pranzo.

c Ma che giorno è oggi? – Oggi è venerdì, _____ arriva Luigi dall'Italia. – Ma no! Oggi è giovedì. Luigi arriva _____ .

d Perché non vieni a casa mia _____ sera? – No, non posso. Facciamo _____ ?

e L'anno _____ vorrei fare un corso d'inglese a Londra.

Conditional

4 Complete the sentences with the appropriate forms of the conditional of the verb **volere.**

a Cosa (tu) _____ fare domani sera?

b I miei genitori _____ venire a trovarmi a Pasqua.

c Francesco _____ trovare un lavoro migliore entro la fine dell'anno.

d (Noi) _____ fare una festa per il nostro anniversario di matrimonio.

e Cosa (voi) _____ mangiare a pranzo?

Glossario/GLOSSARY

Section 1

esperto	experienced
lavoro fisso	permanent job
lavoro stagionale	seasonal job
lavoro saltuario	temping job
cercasi	wanted
selezionare	to shortlist
curriculum	CV
tirocinio	training
militesente	exempt from National Service
colloquio	interview
locale	entertainment venue
alloggio	accommodation

Section 4

in riferimento a	with reference to
accompagnatore turistico	tourist guide
presso	at the
in seguito	then
sono stata assunta	I was appointed
mansioni	duties
impiego	job
ottima conoscenza	very good knowledge
accludo	I attach
titolo di studio	academic qualifications
professione attuale	present job, current occupation
altre esperienze	other experience

Section 9

non ne posso più	I am fed up
non vedo l'ora di	I am looking forward to
posso godermi la vita	I can enjoy life
prima di tutto	first of all
villaggio turistico	tourist resort
animatrice	entertainer

Section 10

domani	tomorrow
dopodomani	the day after tomorrow
tra/fra tre giorni	in three days' time
tra/fra un anno	in a year's time
lunedì prossimo	next Monday
l'anno prossimo	next year
la settimana prossima	next week
il mese prossimo	next month

Section 15

artisti in erba	budding artists
audizioni	auditions
liceo Coreutico	Arts and Dance school
scuola di ballo classico	ballet school
istituto privato	private school
spettacolo	performance
ministero dell'istruzione	Department of Education
discipline di area comune	core subjects
biennio	two years
triennio	three years
accedere	to be admitted to

Further practice

stilista	fashion designer

Biciclette all'entrata dell'università

Lavoro di coppia/PARTNER WORK

1 You are Mr. Alonzo and you have applied for a job in a travel agency. You have now been called for an interview. On the basis of the C.V. below, answer the questions the interviewer (your partner) puts to you.

Name: **Luigi Alonzo**

Age : **25**

Qualifications: **degree** (laurea) **in business studies**

Languages spoken: **English, German, Spanish**

Work experience: **6 months working for CTS in London (part-time), tourist guide in Madrid for 1 year**

2 You are looking for somebody to work in your clothes shop. You have called Miss Gatti (your partner) for an interview . Ask her the appropriate questions in order to fill in the form below.

Name: _____

Age: _____

Qualifications: _____

Languages spoken: _____

Work Experience: _____

Lavoro di coppia/PARTNER WORK B

1 You are looking for somebody to work in your travel agency. You have called Mr. Alonzo (your partner) for an interview. Ask him the appropriate questions in order to fill in the form below.

Name: _____

Age: _____

Qualifications: _____

Languages spoken: _____

Work experience: _____

2 You are Miss Gatti, and you have applied for a job in a clothes shop. You have been called for an interview. On the basis of the C.V. below, answer the questions the interviewer (your partner) puts to you.

Name:	**Licia Gatti**
Age:	**21**
Qualifications:	**'A' level Art** (maturità artistica)
Languages spoken:	**Italian, French**
Work experience:	**baby sitter, receptionist in a hotel for 6 months**

Ancora un po' di pratica
FURTHER PRACTICE

Come ti chiami?

1 **Ascolto**/Listening

Guarda la cartina qui di fianco, ascolta e completa il nome delle città italiane con le lettere mancanti/Look at the map, listen and complete the names of the Italian cities with the missing letters.

A _ _ _ _ _
B _ _ _
C _ _ _ _ _ _
D _ _ _ _ _ _ _ _ _
E _ _ _ _ _
F _ _ _ _ _ _
G _ _ _ _ _
I _ _ _ _ _ _
L _ _ _ _ _ _
M _ _ _ _ _
N _ _ _ _ _
O _ _ _ _ _ _
T _ _ _ _ _
U _ _ _ _ _
V _ _ _ _ _ _
Z _ _ _

Domodossola
Torino
Milano Zanè Udine
Genova Venezia
Imperia
Empoli Firenze
Livorno
Ancona
Napoli
Bari
Cosenza Otranto

In italiano molto spesso si usano i nomi delle città per sillabare al telefono / In Italian the name of towns are often used for spelling on the phone.

Mi *chiamo* Marco: '*emme*' come Milano ('m' for Milan); '*a*' come Ancona; '*erre*' come Roma; '*ci*' come Cosenza; '*o*' come Otranto.

2 **Ascolto**/Listening

Guarda la pubblicità qui sotto, ascolta e riempi con le lettere mancanti. Poi controlla a pagina 1/Look at the ads below, listen and fill in the blanks with the missing letters. Now check on page 1.

_IOCO DEL
O O T O O
_ _ _ _ _
Vin_ere è _n _io_o.

tir_en_a
La _ompa_nia Itali_na di Navi_azione
www.tirrenia.it

P_ro_ni_a_ai_al_ana
_'è u_ Pi_m_no D_n_se.

3 Lettura e scrittura/Reading and writing

Qui sotto ci sono due dialoghi che non sono in ordine. Uno è formale e l'altro informale. Separali/Below you will find two jumbled up dialogues, one is formal and the other one informal. Unjumble them.

Ciao! Patrick McCarthy, e lei? Di dove sei? Sono italiano, di Roma. E to?

Iracema, e tu? Buongiorno! Scusi, come si chiama?

Sono irlandese. Sono brasiliana, di Bahia. Buongiorno!

Anna Berti. No, a Sheffield. È italiana, vero? Ciao!

Sì, di Torino. E lei? Paolo. Come ti chiami?

4 Scrittura/Writing

Completa la tabella con l'aggettivo di nazionalità. Poi scrivi come si presentano i seguenti personaggi in italiano/Complete the table with the nationalities. Then write how the following characters would introduce themselves in Italian.

Nome	Nazionalità	Città di provenienza	Residenza
a Sophia Loren	_____	Pozzuoli	Ginevra
b Diego Maradona	_____	Buenos Aires	Buenos Aires
c Eros Ramazzotti	_____	Roma	Milano
d Bill Gates	_____	Seattle	Seattle
e Margaret Thatcher	_____	Grantham	Londra

Panorama di Firenze

2 Al lavoro e in famiglia

 1 Scrittura/Writing

Scrivi in lettere i numeri del lotto/Write in full the following lottery numbers.

LOTTO

CAGLIARI 1

5	19	21	23	a _____
28	81	72	67	b _____
56	53	51	50	c _____
33	34	38	43	d _____

2 Scrittura/Writing

Guarda la carta d'identità e presenta la Signora Marella/Look at Ms. Marella's identity card below and introduce her.

Cognome MARELLA
Nome CHIARA
nato il 25/07/71
(atto n. (7689) *P.* 1 *S.* A)
a ROMA
Cittadinanza ITALIANA
Residenza ROMA
Via ALISE 88
Stato civile CONIUGATA
Professione INSEGNANTE

CONNOTATI E CONTRASSEGNI SALIENTI

Statura 1,65
Capelli CASTANI
Occhi CASTANI
Segni particolari N.N.

Firma del titolare

Impronta del dito
indice sinistro

P. IL SINDACO
IL CAPOSEZIONE DELEGATO
Dott. Antonio Del Giudice

Si chiama ....

3 **Ascolto**/Listening

Ascolta Giorgio che parla della sua famiglia e completa la scheda in inglese/Listen to Giorgio talking about his family and complete the table.

Name	Relationship	Age	Profession	Marital status	Place of residence
Sara					
Adriano					
Giovanni	.				
Carmela					
Elena					

San Pietro, Roma

Una giornata tipica

1 Scrittura/Writing

Inserisci i seguenti nomi nella colonna giusta/Put the following nouns in the appropriate column.

alfabeto, università, professore, mensa, città, zio, studente, professione, lavoro, infermiera, cameriera, meccanici, nazione, sera, pomeriggi, notte, orologio, amica, gnocchi, amici, ragazzi, madri, studentesse, uffici

il	lo	la	l'	i	gli	le

2 Ascolto/Listening

Ascolta gli studenti dell'Università di Napoli e prendi appunti in inglese/Listen to these students at Naples University and write notes in English to fill the table.

Nome	Età	Città di provenienza	Materia di studio	Famiglia	Informazioni sulla famiglia (età, professione, ecc.)
Luca					
Gemma					
Marco					

3 Ascolto/Listening

Ascolta e scrivi gli orari/You will hear a series of times on the recording. Write them down as you hear them.

4 Lettura/Reading

Leggi la lettera che Mary scrive alla sua amica Claudia e indica se le affermazioni sono vere o false/Read Mary's letter to her friend Claudia and indicate whether the statements below are true or false.

> Cara Claudia,
>
> grazie della tua lettera. Vuoi sapere come vivono gli italiani? Ti descrivo la giornata di un tipico italiano, Giorgio, il mio ragazzo.
>
> Giorgio si sveglia verso le otto, fa colazione al bar, (prende sempre un cornetto e un caffè) e poi va a lavorare. Verso l'una torna a casa per pranzo. Dopo pranzo si riposa un po'. In Italia tra l'una e le quattro molti negozi e uffici sono chiusi. Verso le quattro torna al lavoro. Esce dall'ufficio alle sei e mezza e poi, la sera, va in pizzeria con gli amici. Dopo, viene a prendermi e usciamo insieme. Il lunedì, il mercoledì e il venerdì andiamo in palestra. Il martedì e il sabato andiamo al cinema. Qualche volta andiamo a teatro. A Rimini ci sono molte discoteche ma Giorgio odia ballare (che peccato!). In genere, torniamo a casa la sera tardi, perciò la mattina sono sempre stanca.
>
> Grazie a Giorgio, però, il mio italiano migliora sempre di più. Avere un ragazzo italiano è il modo migliore d'imparare la lingua! Il problema è che vorrei anche imparare il francese ...
>
> Ti saluto. A presto.
>
> Mary

	True	False
a Giorgio è il tipico ragazzo italiano.	_____	_____
b Giorgio fa colazione a casa.	_____	_____
c Giorgio pranza al bar.	_____	_____
d Giorgio non lavora il pomeriggio.	_____	_____
e La sera Giorgio mangia una pizza con gli amici.	_____	_____
f Mary impara l'italiano perché ha un ragazzo italiano.	_____	_____

5 Scrittura/Writing

Adesso correggi le affermazioni false, scrivendo delle frasi come nell'esempio/Now correct the false statements in writing as in the example.

Giorgio non fa colazione a casa, ma al bar.

6 Scrittura/Writing

Scrivi una lettera ad un amico e descrivi una tua giornata tipica nel tuo paese d'origine/Write a letter to a friend and describe a typical day of yours in your own country.

Il tempo libero

 1 Lettura/Reading

Leggi la lettera e rispondi alle domande/Read the letter and answer the questions.

Caro Mauro,

sono a Londra da una settimana e dopo le prime difficoltà, devo dirti che questa città mi piace un sacco. Ho già alcuni amici che sono compagni di corso all'università dove studio. Sono ragazzi di nazionalità diverse e sono molto simpatici. Dopo le lezioni del mattino andiamo quasi sempre in un piccolo bar a Soho dove c'è sempre musica dal vivo. Il pomeriggio cerco di studiare in biblioteca, ma qualche volta mi distraggo perché c'è tanta gente eccentrica che trovo interessante osservare. Mi piace la moda pazza di questa città. Pensa che qui la gente si veste come vuole e mi piace tanto questa libertà. Invece non mi piace per niente il clima! Piove sempre e quando non piove il cielo è grigio e deprimente.

Adesso vado perché comincia la lezione. Scrivimi qualche volta (ti scrivo sempre io!).

Ciao,

Tiziana

a How long has Tiziana been in London?
b What does she do after class?
c Why does she find it difficult to concentrate in the library?
d What does she think of fashion in London?
e What does she dislike about London?

 2 Scrittura/Writing

Immagina di essere Mauro e rispondi alla lettera/Imagine you are Mauro and reply to the letter.

Explain that you are very busy with your exams, therefore your life is very boring. Say that you do not have time to go out and meet friends. Ask her when she is coming back.

Cara Tiziana,
grazie per la tua lettera. Finalmente trovo un po' di tempo per scriverti!
_____
_____
_____

Non vedo l'ora di finire gli esami e di rivederti.
Baci,
Mauro

3 Ascolto/Listening

Ascolta Pratik e Claudia che parlano delle loro prossime vacanze. Ascolta varie volte e prendi appunti in inglese su ciò che dicono/Listen to Pratik and Claudia talking about their holiday plans and write which pros and cons they mention about each place. Listen as many times as you like and try to understand as many points as you can.

	Pros	Cons
Sea		
Mountains		
Countryside		
Lakes		
London		
Paris		
Cuba		

4 Cruciverba/Crossword

Fa' il cruciverba e coniuga i verbi/Do the crossword giving the appropriate verb forms.

Across

2 partire – they leave
3 vivere – he/she lives
6 finire – we finish
7 prendere – you (pl) take
8 preferire – they prefer
9 abitare – you live
10 finire – I finish
11 comprare – we buy
13 essere – you are

Down

1 avere – he/she has
2 preferire – you prefer
4 avere – I have
5 essere – I am
9 affittare – you rent
12 amare – we love

5 Al bar

1 **Ascolto**/Listening

Ascolta questi studenti che si incontrano in un bar e riempi la tabella/
Listen to these exchange students talking about themselves in a bar and fill in the grid.

Name	Age	Nationality	Subject studied	Hobbies	Order	Price
Martha						
Helen						
Paulo						

2 **Lettura**/Reading

Leggi la descrizione del bar Alboran e del bistrot La Contrada dell'Oca e rispondi alle domande/Read the description of the Alboran and La Contrada dell'Oca and answer the questions.

"Per un aperitivo ideale appuntamento all'Alboran"

«DA architetto, posso dire che il bar Alboran è uno dei pochi realizzati con gusto, mettendo insieme linee innovative e funzionalità. L'arredo infatti è moderno, ma non freddo: infatti l'atmosfera è calda e accogliente».

«Prima di cena, tra le 19 e le 20, questo bar è il luogo ideale per darsi appuntamento e bere un aperitivo: io vado sul classico, Campari-soda o Bitter Campari».

In effetti il bar-bistrot di via Otranto 9 (telefono 06375 14763) è affollatissimo all'ora dell'aperitivo serale con buffet gratuito. Infatti il bancone è invaso da microtramezzini, pizzettine, patatine, olive, tartine ed altro ancora, per accompagnare un Martini cocktail o un prosecco Valdobbiadene.

LA CONTRADA DELL'OCA

Un piccolo e accogliente bistrot dove sedersi e mangiare uno spuntino salato o dolce: è LA CONTRADA DELL'OCA (via Famagosta 12). Aperto fin dopo la mezzanotte, il localino è un punto d'approdo dove poter gustare una insalata o un panino, bere un tè o un caffè accompagnato da dolci fatti in casa. E per chi prima di andare a dormire vuole assicurarsi una corretta digestione, ecco una ampia scelta di tisane. Non mancano riviste e giochi di società.

a Which is the best place to go for an aperitif?
b Where would you go for a snack after midnight?
c In which of the two bars can you find a comfortable atmosphere?
d Where would you go if you loved home-made puddings?
e Where would you go if you were hungry but had only enough money for a drink?

3 Scrittura/Writing

Guarda i simboli dell'albergo Hycesia qui sotto e descrivilo/Look at the symbols below and write a brief description of the Hotel Hycesia.

★ **Hotel Hycesia** (1/11) 8 □ 16 ⛱ 8 🐕					
—	72,2	INCL.	—	133	—	154,5
—	154,5		—	191	—	235,5

★ Villa San Pietro ☎ 090983041 ✆ 090983226

Comincia così/Start like this:

L'hotel Hycesia è situato………………………………………………………..........................

4 Scrittura guidata/Guided writing

Leggi la lettera qui sotto e riempi gli spazi con le parole più appropriate/
Read the letter below and fill in the gaps with appropriate words.

> *Spettabile Direzione*
> *Albergo La Piazza*
> *Via San Pietro, 25*
> *Palermo*
> *Italia*   *Londra, _____*
>
>
> *Gentile Direttore,*
>
> *vorrei prenotare una _____ doppia per _____ settimana dal 23 al 29 dicembre.*
> *Vorrei una camera tranquilla, _____ bagno, se possibile con vista sul mare.*
> *Vorrei sapere il _____ della camera con la prima _____ inclusa e vorrei anche sapere se ci _____ servizi come _____ piscina, _____ sauna, e _____ solarium.*
> *Mi potrebbe spedire un depliant dell' _____ ?*
>
> *In attesa di una Sua gentile risposta, La saluto cordialmente.*
>
>   *Adele Rippetta*

6 A casa

1 **Vocabolario**/Vocabulary

Abbina le parole italiane a quelle inglesi/Match the Italian words to the English ones.

a ripostiglio   **1** lift
b termoautonomo   **2** double room
c box   **3** loft
d ascensore   **4** store room
e matrimoniale   **5** central heating
f soffitta   **6** garage

2 **Lettura**/Reading

Leggi gli annunci dell'agenzia immobiliare e rispondi alle domande/Read the estate agent's adverts and answer the questions.

MITELCASA – servizi immobiliari

San Giacomo 3° piano ingresso in zona giorno con angolo cucina, matrimoniale, cabina guardaroba, bagno, termoautonomo, €40.000

Balamonti 4° piano ingresso, ampia cucina abitabile, soggiorno, matrimoniale, bagno, balcone e cantina, termoautonomo, €55.000

Pineta di Servola con vista aperta recente 4° piano: soggiorno con cucinino, matrimoniale, bagno, ripostiglio, terrazzetta, cantina, €58.000

Campo San Giacomo appartamento di ca 100 mq composto da quattro camere, grande cucina abitabile, bagno, ripostiglio, termoautonomo, serramenti alluminio, parzialmente da ristrutturare, €60.000

San Giacomo (chiesa) recente V° piano (ultimo) con ascensore soggiorno, matrimoniale, cucina, bagno, terrazzetta, €65.000

Centrale II° piano soggiorno, cucina, due camere, bagno, ripostiglio, termoautonomo, buonissime condizioni, stabile d'epoca perfetto, €67.000

Altura appartamento nel verde tranquillo e soleggiato, due camere, saloncino, cucina abitabile, doppi servizi completi poggiolo e terrazza, soffitta, €80.000

Perugino quinto piano con ascensore ingresso, due matrimoniali, saloncino, cucina abitabile, bagno, ripostiglio, tre balconi e box auto, €85.000

In costruzione porzione di **bifamiliare** su tre livelli composta da soggiorno, cucina abitabile, quattro stanze, due bagni completi più un servizio più box per tre auto, cantina, terrazze e giardini. Informazioni e planimetrie presso ns. Uffici.

Which apartment/s would you choose if:

a you wanted a small kitchen
b you wanted a loft
c you wanted a large garage
d you wanted to live in a period building

e you were a nature lover
f you had a large family
g you had a lot of children
h you had a lot of clothes

3 Scrittura/Writing

La prossima estate farai uno scambio di casa con una tua amica italiana. Scrivile una lettera. Descrivi la tua casa e chiedi alla tua amica com'è la sua/Next summer you are going to swap flats/houses with an Italian friend. Write to her describing your house/flat. Ask questions about her place.

4 Ascolto/Listening

Ascolta due studenti che devono affittare una casa insieme e riempi la scheda con le loro preferenze/Listen to these two students wanting to rent a flat together and fill in the grid below with their preferences.

	Pros	Cons
Town centre		
Suburbs		

5 Grammatica/Grammar

Trova l'intruso in ogni gruppo e metti l'articolo determinativo appropriato davanti alle parole/Find the odd one out and put the appropriate definite article in front of the words.

a _il_ frigorifero
___ lavatrice
___ (armadio)
___ lavastoviglie

b ___ letto
___ tostapane
___ comodino
___ materasso

c ___ bidè
___ lavandino
___ vasca
___ piscina

d ___ divano
___ poltrona
___ forno
___ tavolino

e ___ pianta
___ penna
___ quadro
___ lampada

7 In città

1 **Ascolto**/Listening

Ascolta la descrizione e scrivi il nome dei posti a–g/Listen and write the names of the places on the map.

Hotel Italia			25	a
Via Puccini		Via Gioia	Via Puccini	
b	c		d	e f g

2 **Scrittura**/Writing

Scrivi una lettera ad un amico italiano che ti viene a trovare a Milano e che vuole indicazioni per arrivare dalla stazione Centrale a via Fogazzaro (vicino alla Rotonda della Besana) dove si trova la tua casa/Write a letter to your Italian friend who is coming to visit you in Milan and would like directions from the main train terminal to your place in via Fogazzaro.

You are here

3 Ascolto/Listening

Ascolta il messaggio telefonico e completa/Listen to the telephone message and complete.

Date of arrival: _____   Date of departure: _____
Time of arrival: _____   Time of departure: _____
Place of arrival: _____   Place of departure: _____

4 Lettura/Reading

Leggi il depliant e rispondi alle domande/Read the leaflet and answer the questions below.

Ferrovie dello Stato – Offerta Famiglia

A chi

L'offerta è dedicata alle famiglie, ma anche ai gruppi di amici e di colleghi.
Basta essere non meno di tre persone e non più di cinque*.

Come

L'offerta consiste in uno sconto del 30%, sia in 1a che in 2a classe, che verrà applicato sul prezzo globale del biglietto (tariffa ordinaria+supplemento, ove questo sia previsto). Lo sconto vale per tutti i tipi di treno, compresi i tratti nazionali effettuati dagli Eurocity e dai "Geie Italia-Francia"**.
Verrà emesso un solo biglietto, cumulativo e scontato, con l'unica condizione che tutta la famiglia, o il gruppo, viaggi insieme sullo stesso treno e nella stessa classe.

••*Sono esclusi dallo sconto i servizi accessori al viaggio (cuccette, VL, ristorazione, ecc.) e le prenotazioni quando facoltative. I biglietti non sono rimborsabili e non si possono acquistare direttamente a bordo treno.*

•*Concorrono al numero minimo richiesto per il gruppo anche i ragazzi dai 4 ai 12 anni che pagano la metà del prezzo ridotto.*

Offerte e sconti su misura

Le opportunità delle Ferrovie dello Stato non finiscono con l'Offerta Famiglia.
Viaggiate spesso e vi piace farlo in tutta comodità? Regalatevi Carta Prima. Volete abbinare *comfort* a bordo e servizi a terra? Diventate Soci del Club Eurostar. Avete oltre 60 anni? C'è la Carta d'Argento per voi. Avete superato i 12 anni ma non i 26? Vi aspetta Carta Verde.

a Who can take advantage of the special offer advertised in the leaflet?
b What does the special offer consist of?
c What conditions are attached to it?
d Can you buy tickets on the train?
e What discount card is available if you are between 12 and 26? Likewise, is there a card available if you are over 60? If so, what is it called?

8 Ti va di ...?

1 Ascolto/Listening

Ascolta e segna sull'agenda gli impegni di Stefano/Listen and write Stefano's appointments in the diary below.

	Lunedì	Martedì	Mercoledì	Giovedì	Venerdì	Sabato	Domenica
08–10							
10–12							
12–14							
14–16							
16–18							
18–20							
20–22							
22–24							

2 Scrittura/Writing

Rispondi alla cartolina seguendo la traccia/Answer Piero's postcard following the guidelines below.

You accept the invitation.
You will arrive at the station on Friday at 8 pm.
Ask for directions from the station to his house.
Inquire about his plans for the weekend.
Suggest something that you would like to do.

Cara Giulia,
come stai?
Allora, vieni a trovarmi il prossimo fine settimana?
Fammi sapere al più presto.
Ti aspetto.

   Piero

Giulia Talin
Via Donizetti 18
36078 Valdagno
Vicenza

3 Lettura/Reading

Lavori per l'agenzia 'Lui cerca lei – Lei cerca lui'. Leggi gli annunci e trova l'anima gemella per ciascun corrispondente/You work for 'Lui cerca lei – Lei cerca lui', an Italian dating agency. Read the ads below and match them.

TELEANNUNCI – 166.123.600

In collaborazione con **FIERACITTÀ** – *Servizio Audiotel riservato ai maggiori di anni 18.* **Lui cerca**
Lui cerca Lei – Lei cerca Lui

Nubile 38enne di bell'aspetto di sani principi morali conoscerebbe uomo per instaurare rapporto duraturo finalizzato al matrimonio età max. 45 anni no separati. F.P. marano. P.A. 33459876

Ragazza 28enne di bell'aspetto dolce ottima moralità cerca ragazzo celibe romantico per rapporto amicizia serio finalizzato al matrimonio necessario telefono e foto. F.P. Ottaviano. P.A. NA 54319134C

Ciao sono Fabio. 37enne, non sono libero, 1,76, molto carino, capelli e occhi castani, un bel carattere allegro e socievole, cerco casalinghe e ragazze annoiate ed attraenti che, come me, hanno voglia di evadere dalla routine quotidiana, naturalmente tutto questo nel max. rispetto degli impegni della vita che stiamo vivendo, perciò se siete interessate a trascorrere momenti piacevoli con un partner giovane, bello ed allegro, lasciate un messaggio. Ciao. 0365

Vedova 48enne bella presenza conoscerebbe compagno serio vedovo o separato che abbia intenzione di farsi una vita. F.P. Casalnuovo C.I.AA4912288

Ragazza dinamica e interessante cerca amica per rapporto stabile, non uomini, perditempo o coppie. Gradita foto F.P Salerno Centrale.

Professionista 34enne carino distinto riservato cerca donna pari requisiti per eventuale relazione. F.P.Napoli c.le. P.A. 67890654

Straniera 30enne impiegata buona conoscenza inglese italiano cerca eventuale matrimonio max 45enne buona posizione socio economica moralità cultura. Budapest F.P. 321 Ungheria.

Ragazzo 31enne alto bruno occhi verdi cerca ragazza semplice e sincera scopo amicizia. F.P. Aversa

Ragazza gay carina colta conoscerebbe ragazza pari requisiti per instaurare un rapporto d'amore basato su fedeltà e lealtà reciproca. Non si risponde a fermoposta e cellulare. F.P. Fuorigrotta.

Mi chiamo Tonia ho 43 anni, non sono libera e cerco una persona come me per passare momenti piacevoli insieme. 09867B

Stupendo 62enne solo indipendente giovanile cerca donna max 60enne per calda amicizia eventuale futuro. F.P. Napoli C.le T.V. 0987650

Sono Gino cerco ragazza straniera con la rara virtù cuore nobile e pieno bontà prometto tanta serietà ed amore e famiglia seria ed onesta sono 49enne impiegato. F.P. Battipaglia Salerno C.I. AC 122199

---

4 Scrittura/Writing

Scrivi una lettera ad un amico/un'amica descrivendo il tuo uomo/la tua donna ideale/Write a letter to a friend in which you describe your ideal man/woman.

Cosenza, 14 luglio 2001

Caro/a _____

come stai? Mi chiedi com'è il mio uomo/la mia donna ideale. Soddisfo subito la tua curiosità. Il mio uomo/La mia donna ideale è _____

_____

_____

Ciao! A presto.

9 Cosa hai fatto ieri?

 1 Lettura/Reading

Leggi l'articolo e rispondi alle domande/Read the article below and answer the questions.

VADO ALL'ESTERO, MA POI TORNO CON UN CURRICULUM 10 E LODE

Trascorrere un anno di studio all'estero. Un'esperienza preziosa, che consente di acquistare la padronanza di una lingua straniera, di arricchire il proprio bagaglio di conoscenze e, soprattutto, di sviluppare una mentalità aperta e flessibile. Per diventare cittadini del mondo è sufficiente essere iscritti a una qualsiasi scuola superiore, avere dai quindici ai diciannove anni di età, una buona pagella e la capacità di esprimersi in una lingua diversa dall'italiano. Con questi requisiti – e, naturalmente, con il consenso dei genitori e degli insegnanti – si può frequentare un anno o solo un quadrimestre in una scuola straniera. Durante il soggiorno all'estero si viene ospitati da una famiglia e seguiti individualmente da tutor esperti.

Partire è facile: basta rivolgersi a una delle numerose organizzazioni che si occupano di viaggi di studio o scambi culturali. La partecipazione ha un costo, ma esistono programmi per tutte le tasche. A un prezzo più contenuto non corrisponde necessariamente una minore qualità o affidabilità del servizio: alcune organizzazioni, infatti, operano senza fini di lucro e talvolta sono addirittura finanziate dai governi. In molti casi, inoltre, sono previsti concorsi per borse di studio. Anche il rientro in Italia non presenta difficoltà. La possibilità di studiare per qualche mese all'estero senza perdere l'anno scolastico è infatti prevista dalla legge.

Ogni dettaglio dovrebbe essere definito in anticipo con i professori e il preside della scuola. "Personalmente consiglio sempre di partire durante il quarto anno, perché in terza si cominciano materie nuove ed è un anno troppo impegnativo per essere saltato", suggerisce ad esempio Annamaria Borgis, preside del liceo linguistico Erasmo da Rotterdam di Torino. "Sono sempre favorevole alle esperienze di studio all'estero. Credo che abbiano un alto valore formativo e che rappresentino un'ottima occasione di crescita personale" prosegue la professoressa Borgis. La ricaduta sul profitto però non è sempre ottima. Nemmeno per la lingua straniera: i ragazzi quando tornano parlano in modo fluente, ma la grammatica è "debole". Per quanto riguarda la destinazione, "molti studenti vorrebbero andare in Gran Bretagna, ma c'è un sistema scolastico troppo diverso dal nostro: gli ultimi due anni di scuola superiore si seguono solo tre materie" avverte Annamaria Borgis "e recuperare al ritorno in Italia diventa troppo difficile". Meglio ancora gli Stati Uniti, "anche se nelle high school americane non c'è lo stesso rigore che da noi, si seguono meno materie e con un contenuto diverso".

Minori problemi di "recupero" incontrano i ragazzi in grado di studiare in francese o in tedesco: "In Francia, Germania e Austria" assicura la professoressa Borgis "le scuole adottano programmi molto più simili ai nostri e dopo un soggiorno in questi Paesi non ci sono difficoltà di reinserimento".

a What are the advantages of studying abroad?
b What are the requirements for taking part in the scheme?
c How long can you choose to study for?
d What kind of living arrangements can you expect?
e How expensive is it to join the scheme?
f What advice does Borgis give to potential students?
g What are the best countries to choose when going to study abroad?
h Which is the worst and why?

2 **Ascolto**/Listening

Ascolta questi studenti che parlano della loro esperienza di studio all'estero e prendi appunti in inglese/Listen to these students talking about their study experience abroad and take notes in English.

Anna	Giorgio	Paola

3 **Scrittura**/Writing

Scrivi una lettera a un amico/un'amica in Italia parlando del viaggio che hai fatto all'estero/Write a letter to a friend in Italy and tell him/her about a journey you made abroad.

> Caro/a ____,
>
> Come stai? Sono appena tornato/a dalle vacanze. Indovina dove sono stato/a ?
>
> _____
> _____
> _____
> _____
> _____
> _____
> _____
> _____
> _____
>
> E tu, come hai passato le tue vacanze? Scrivimi presto.
>
> Un bacione.

10 Alla ricerca di un lavoro

 1 Ascolto/Listening

Due amici italiani si incontrano per caso in un bar a Londra e parlano del loro nuovo lavoro. Ascolta e prendi appunti in inglese/Two Italian friends meet by chance in a café in London and talk about their new jobs. Listen and fill in the grid.

	Franca	Giovanni
Job		
Working hours		
Advantages		
Disadvantages		
Salary		

2 Scrittura/Writing

Scrivi una lettera all'ufficio di collocamento con queste informazioni/Write a covering letter to the job centre including the following information:

Personal details (name, age etc.)
Your qualifications
Languages spoken
Previous work experience
Job required

Preg.mi Signori,

Vi saluto distintamente.

Allegato Curriculum Vitae

3 Lettura/Reading

Leggi l'articolo, rispondi alle domande e compila la scheda/Read the article, answer the questions below and fill in the form.

CORRIERE LAVORO/UNINDUSTRIA/3 ◆ SEI STILISTI IN ERBA

La creatività è l'elemento fondamentale che fa un ottimo stilista. Quattro tratti di matita possono far capire il valore del capo disegnato. Lo stilista è il responsabile della ricerca e dell'idea, ispiratore delle tendenze moda. Amministra creatività, tecnologia, informazione e trend. Lo stilista può lavorare per la propria griffe o collaborare con aziende, studi stilistici e di consulenza e ricerca.

Al concorso possono partecipare stilisti, in possesso di diploma di scuola media superiore, un attestato di qualifica a corsi specifici del settore, buona conoscenza dell'inglese, età non superiore ai 27 anni. L'importante è non aver lavorato in aziende appartenenti al Sistema Moda Treviso dal giugno 98.

Gli interessati dovranno inviare fotografia formato tessera, curriculum, diploma di scuola media superiore, attestati di frequenza e/o qualifiche a corsi specifici del settore, uno o più disegni in misura A4 in doppia copia di un modello con indicazione sul retro di: nome, scheda tecnica (comprensiva di colore e tessuto) e un massimo di cinque righe di commento.

I disegni devono far riferimento a uno dei tre comparti definiti per lo stilista (confezione donna/bambino, maglieria uomo/donna, intimo/corsetteria e bagno).

Titolo preferenziale, l'invio di uno o più disegni realizzati su tema libero riguardo abbigliamento e accessori.◆

CORRIERE LAVORO
□ CONCORSO STILISTI GRUPPO SISTEMA MODA

Cognome _____

Nome _____

Via _____

Cap _____

Città _____

a Which is the main quality for a stylist?
b Who can take part in the competition?
c What do you have to do in order to take part?

4 Scrittura/Writing

Scrivi una lettera a un amico/un'amica parlando dei tuoi progetti per la prossima estate/Write a letter to a friend telling him/her your plans for next summer.

Caro/a ....

Come stai? Allora hai deciso cosa fai la prossima estate?

Io _____

_____

Fammi sapere. Aspetto tue notizie.

A presto.

GUIDE TO GRAMMATICAL TERMS

Language learners often feel unsure about grammatical terms. The following list gives some simple definitions. Examples are underlined, terms used which are defined elsewhere in the list are given in bold. Examples are drawn from English: reference is made to Italian only when something distinctive about that language needs to be noted. This Guide is concerned only with the meanings of grammatical terms: there is an Italian Grammar Summary beginning on page 150.

adjective   A word used to describe a **noun** ('an <u>interesting</u> woman'; 'The curry is <u>hot</u>'). See also **demonstrative adjective**, **possessive adjective**.

adverb   A word which describes the action of a **verb** ('She sings <u>beautifully</u>', 'He cooks <u>well</u>') or modifies (= gives further information about) an **adjective** ('It's a <u>really</u> expensive car') or another adverb ('She sings <u>really</u> well').

agree   In English, adjectives don't change their form but in Italian they have to agree with the noun they are describing in gender and number: if the noun is feminine, the adjective must be in the feminine form, if the noun is plural, so is the adjective.

article   <u>The</u> (called the definite article), <u>a</u> or <u>an</u> (the indefinite article).

auxiliary verb   A **verb** combining with another verb to form a **compound tense**. ('She <u>has</u> gone' = auxiliary verb 'to have' here used to form the Perfect tense by combining with the **past participle** of the verb 'to go'.)

compound tense   A **tense** formed by combining an **auxiliary verb** with another **verb**. For example, the future tense ('he <u>will see</u> you next week' = auxiliary verb 'will' combined with the **infinitive** 'arrive'), the perfect tense ('we <u>have</u> already <u>seen</u> him = auxiliary verb 'have' combined with the **past participle** 'seen').

conjunction   A word which joins parts of a sentence ('He was tired <u>and</u> he wanted to go home'; 'They arrived early <u>because</u> they wanted a good place').

demonstrative adjective   These 'point out' **nouns** (<u>this</u> chair/<u>these</u> chairs; <u>that</u> house/<u>those</u> houses).

direct object   The word which directly undergoes the action of the **verb**. In the sentence 'She sent her mother <u>a present</u>', what she sent was a present, so that is the direct object. She didn't send her mother! See also **indirect object**.

gender   In Italian, all **nouns** have a grammatical **gender**, masculine or feminine, and **adjectives** have to **agree**.

imperative   **Verb** form used in giving commands and instructions ('<u>Turn</u> left now!').

indirect object   A secondary **object**. In the sentence 'She sent <u>her mother</u> a present', the direct object, the thing which is sent, is the present. It was sent to her mother, the **indirect object**.

intransitive verb   **Verb** that doesn't take a direct object, e.g. 'to arrive' ('She <u>arrived</u> at one o'clock').

infinitive   The basic form of a **verb** ('to sing'; 'to write').

irregular verb   **Verb** that doesn't follow a standard pattern.

noun   Word denoting a person ('student'), thing ('book'), animal ('cat') or abstract idea ('happiness').

number   Whether a word is **singular** or **plural**.

object   The **noun** or **pronoun** which undergoes the action of the **verb**, e.g. 'We bought a house'; 'I saw him'.

object pronoun   **Pronoun** used when it's the **object** of the **verb**: me, you, him, her, it, us, them.

past participle   Part of the **verb** which combines with an **auxiliary verb** to form the Perfect tense ('They have arrived';' I have seen').

plural   More than one: the plural of 'man' is 'men'.

possessive adjective   e.g. 'My house', 'your friend', 'his car', etc.

preposition   e.g. 'On the table',' under the chair', 'to the station', 'for the teacher', etc.

pronoun   Word taking the place of a **noun**. 'Peter saw the waitress' becomes 'He saw her.'

reflexive verb   In Italian, verb formed with an extra pronoun (called a reflexive pronoun), e.g. chiamarsi (to be called): (io) mi chiamo Carla = I am called Carla.

regular verb   **Verb** that follows a standard pattern.

relative pronoun   **Pronoun** used to refer back to a noun earlier in the sentence, e.g. 'The man who lives there is very old'; 'The book which he chose …'; 'The woman/film that he saw …'.

singular   One rather than many: the singular of 'bananas' is 'banana'.

subject   Who or what carries out the action of the **verb,** e.g. 'A student sent me this email'; 'We are travelling next week'; 'The letter arrived yesterday'.

subject pronoun   **Pronoun** used when it's the subject of the **verb**: I, you, he, she, it, we, they.

transitive verb   **Verb** which takes a **direct object**, e.g. 'to eat' (He ate an apple), unlike an **intransitive verb**, which doesn't.

tense   Form taken by a **verb** to show when the action takes place, e.g. Present tense: 'They live in New York'; Past tense: 'They lived in New York'; Future tense: 'They will live in New York', etc.

verb   Word indicating an action ('They ate their dinner') or state ('The book lay on the table'). Different **tenses** are used to show when something happened. See also **auxiliary verb, intransitive verb, irregular verb, reflexive verb, regular verb, transitive verb**.

GRAMMAR SUMMARY

This is a short summary of basic Italian grammar. If you are not familiar with grammatical terms, you will probably find the 'Guide to grammatical terms' on the previous two pages very useful as an introduction to this section.

Nouns ...

... have a gender – masculine or feminine.

- Nouns ending in 'o' are usually masculine, e.g. **gelato, alfabeto, libro, fratello, ragazzo**.
- Nouns ending in 'a' are usually feminine, e.g. **sorella, città, nazionalità, Italia, sera**.
- Nouns ending in 'e' can be either masculine or feminine, e.g. **notte** (f), **caffè** (m), **nazione** (f).

... have a number – singular or plural.

- Masculine nouns ending in 'o' change into 'i' in the plural, e.g. **fratell<u>o</u>** → **fratell<u>i</u>**.
- Feminine nouns ending in 'a' change into 'e' in the plural, e.g. **sorell<u>a</u>** → **sorell<u>e</u>**.
- Nouns ending in 'e' change into 'i' in the plural, e.g. **padre** → **padri** or **madre** → **madri**.

Articles ...

... can be either definite or indefinite.

<u>Singular definite articles</u> (the words for 'the')

> **il** is used before *masculine* nouns starting with a *consonant*.
> **lo** is used before *masculine* nouns starting either with s + *consonant* or ps, z, gn, y, x.
> **l'** is used before *masculine* or *feminine* nouns starting with a *vowel*.
> **la** is used before *feminine* nouns starting with a *consonant*.

> For example **il poliziotto, lo zoologo, l'attore, l'attrice, la segretaria**.

<u>Plural definite articles</u> (the words for 'the')

> **i** is used before *masculine* nouns starting with a *consonant*.
> **gli** is used before *masculine* nouns starting with a *vowel* or with s + *consonant* or ps, z, gn, y, x.
> **le** is used before *feminine* nouns starting with a *consonant* or a *vowel*.

> For example **i musei, gli studenti, gli uffici, gli psicologi, gli zoologi, gli gnocchi, gli yogurt, gli xilofoni, le banche, le edicole**.
> N.B. **le** is never elided, e.g. **le amiche**.

<u>Indefinite articles</u> (words for 'a/an')

> **un** is used before *masculine* nouns starting with a *consonant* or *vowel*.
> **uno** is used before *masculine* nouns starting either with s + *consonant* or ps, z, gn, y, x.
> **una** is used before *feminine* nouns starting with a *consonant*.
> **un'** is used before *feminine* nouns starting with a *vowel*.

> For example **un medico, uno studente, una studentessa, un'attrice**.

Adjectives …

… agree in gender and number with the noun they refer to and they usually follow the noun.

- There are two categories of adjectives:

  1. Adjectives ending in '**o/a**'
     e.g. **ragazz_o_ italian_o_** (m)
     ragazz_a_ italian_a_ (f)

  2. Adjectives ending in '**e**'
     e.g. **ragazz_o_ inglese** (m)
     ragazz_a_ inglese (f)

- Adjectives ending in '**e**' have the same ending for the feminine and masculine.

- Most adjectives form the plural by changing their endings as nouns do.

  1. Adjectives ending in '**o/a**'
     e.g. **due ragazz_i_ italian_i_** (m)
     due ragazz_e_ italian_e_ (f)

  2. Adjectives ending in '**e**'
     e.g. **due ragazz_i_ inglesi** (m)
     due ragazz_e_ inglesi (f)

<u>Possessive adjectives</u> (my, your, etc.)

- They are usually accompanied by the definite article following this order:
  article + possessive + noun.
  e.g. **il mio ragazzo** (my boyfriend); **la mia ragazza** (my girlfriend)

- They agree in gender and number with the noun they refer to and they usually come before the noun.
  e.g. **il mio** (m) **ragazzo** (m); **la mia** (f) **ragazza** (f)

	Singular		Plural	
	Masculine	Feminine	Masculine	Feminine
my	**il mio**	**la mia**	**i miei**	**le mie**
your (informal)	**il tuo**	**la tua**	**i tuoi**	**le tue**
your (formal)	**il Suo**	**la Sua**	**i Suoi**	**le Sue**
his/her/its	**il suo**	**la sua**	**i suoi**	**le sue**
our	**il nostro**	**la nostra**	**i nostri**	**le nostre**
your (inf. pl.)	**il vostro**	**la vostra**	**i vostri**	**le vostre**
your (form. pl.)	**il Loro**	**la Loro**	**i Loro**	**le Loro**
their	**il loro**	**la loro**	**i loro**	**le loro**

- However, the article is omitted when the possessive adjectives refer to family members in the singular.
  e.g. <u>**mio**</u> **padre** my father   <u>**mia**</u> **madre** my mother   <u>**tuo**</u> **fratello** your brother.

Grammar summary

Adverbs ...

... are invariable. Usually they precede adjectives and follow the verb.

Adverbs of place

qui	here
lì	there
dove	where
accanto a	next to
di fronte a	in front of
dietro (a)	behind
in fondo a	at the end of
vicino a	near to
lontano da	far from
a sinistra	on the left
a destra	on the right

e.g. **Il cinema è accanto al ristorante.** The cinema is next to the restaurant.
I negozi sono lontano dal centro. The shops are far from the center.

Adverbs of frequency

sempre	always
molto spesso	very often
spesso	often
qualche volta	sometimes
ogni tanto	every now and then
quasi mai	almost never
mai	never

e.g. **Antonia va spesso in Italia.** Antonia goes to Italy often.
Marco e Luigi vanno molto spesso in Francia. Marco and Luigi go to France very
often.

Adverbs of quantity

troppo	too much
molto	a lot/very much
abbastanza	quite
poco	a little

e.g. **Angela è molto intelligente.** Angela is very clever.
Anna e Sara sono molto simpatiche. Anna and Sara are very nice.

Pronouns

Subject pronouns

• Subject pronouns (the words for 'I', 'you', etc.) are normally omitted, because, unlike
English, the ending of the verb tells you immediately who/what the subject is.
e.g. **Parlo spagnolo.** I speak Spanish.
Parli francese? Do you speak French?

When used, the subject pronouns are:

io	(I)
tu	(you informal)
Lei	(you formal)
lui	(he)
lei	(she)
noi	(we)
voi	(you)
loro	(they)

Direct object pronouns

* Direct object pronouns take the place of the direct object.
  e.g. **Ogni giorno compro il giornale.** I buy the newspaper every day.
    '**Il giornale**' is the direct object. What do I buy every day? '**Il giornale**'.
  e.g. **Lo compro ogni giorno.** I buy it every day.
    '**Lo**' stands for '**il giornale**' and is a direct object pronoun.

* The direct object pronouns are:

	Singular			Plural
mi	me		**ci**	us
ti	you (informal)		**vi**	you (informal)
La	you (formal)		**Li** (m), **Le** (f)	you (formal)
lo	him, it		**li** (m)	them
la	her, it		**le** (f)	them

* Unlike English, the direct object pronouns come before the verb.
  e.g. **<u>Lo</u> compro ogni giorno.** I buy it every day.

* The direct object pronouns '**lo**' and '**la**' are frequently elided before verbs starting with a vowel or with an 'h'. The other direct object pronouns are never elided.
  e.g. **Ascolti mai la radio?** Do you ever listen to the radio?
    Sì, <u>l</u>'ascolto sempre. Yes, I always listen to it.

Indirect object pronouns

* Indirect object pronouns take the place of the indirect object. The indirect object answers the implied questions '*to whom?*' or '*for whom?*'
  e.g. **Che cosa regali a Carla per Natale?** What will you give Carla for Christmas?
    Le regalo un CD. I will give her a CD.
  '**a Carla**' is the indirect object; '**le**' stands for '**a Carla**' and is the indirect object pronoun.

* The indirect object pronouns are:

	Singular			Plural
mi	(to) me		**ci**	(to) us
ti	(to) you (informal)		**vi**	(to) you (informal)
Le	(to) you (formal)		**Loro**	(to) you (formal)
gli	(to) him		**gli/loro**	(to) them (f/m)
le	(to) her			

Note that **gli** (third person plural) is used more often than **loro**, especially in speech.

153

Grammar summary

- Unlike English, the indirect object pronouns come before the verb except for **loro**.

  e.g. **Le scrivo ogni settimana.** I write to her every week.

  Scrivo <u>loro</u> ogni domenica. I write to them every Sunday.

- The indirect object pronouns are never elided.

  e.g. **Vi insegno l'italiano.** I teach you (pl) Italian.

- Note that many verbs that in English take a direct object require an indirect object in Italian.

  e.g. **Le telefono alle tre.** I will call <u>her</u> at three.

Reflexive pronouns

- They precede the verb except with the infinitive and the imperative.

  e.g. **Mi alzo tutti i giorni alle sei.** I get up at six every day.

  È tardi, è ora di alzarsi. It is late, it is time to get up.

  Alzati, sei in ritardo. Get up, you are late.

mi	myself
ti	yourself (informal)
si	himself/herself/yourself (formal)
ci	ourselves
vi	yourselves
si	themselves

Interrogative adjectives and pronouns

Chi? Who?	e.g. **Chi è?** Who is it?
Che cosa? What?	e.g. **Che cosa bevi?** What are you drinking?
Che? What/Which?	e.g. **Che ora è?** What time is it?
	Che lingue parli? Which languages do you speak?
Quanto? How much?	e.g. **Quanto costa?** How much is it?
Quale? Which?	e.g. **Quale città italiana preferisci?** Which Italian city do you prefer?

Note: **Qual è il tuo indirizzo?** What is your address?

Interrogative adverbs

Perché? Why?	e.g. **Perché non studi?** Why don't you study?
Quando? When?	e.g. **Quando vieni?** When are you coming?
Dove? Where?	e.g. **Dove vai?** Where are you going?
Come? How?	e.g. **Come stai?** How are you?

Prepositions

Prepositions cannot be translated literally. The most common prepositions are:

di	of, from	e.g	**un bicchiere di vino** a glass of wine
			Sono di Londra. I'm from London.
a	to, in	e.g.	**Vado a Roma.** I'm going to Rome.
			Abito a Londra. I live in London.
da	from, to	e.g.	**Vengo da casa mia.** I'm coming from home.
			Vado da mia zia. I'm going to my aunt's.
in	in, to	e.g.	**Abito in Italia.** I live in Italy.
			Vado in Francia. I'm going to France.
con	with	e.g.	**Esco con i miei amici.** I'm going out with my friends.
su	on/about	e.g.	**Il film è su Gandhi.** The film is about Gandhi.
per	for	e.g.	**Il regalo è per Maria.** The present is for Maria.
tra/fra	between, among	e.g.	**L'università si trova tra il parco e la chiesa.** The university is situated between the park and the church.

Combined prepositions

• The basic prepositions **di**, **a**, **da**, **in**, **su**, contract and combine with the definite article to form a single word. The chart below shows you the most widely used combinations.

• The prepositions **con** (with) and **tra/fra** (between) do not usually contract and combine with the definite article.

	il	lo	l'	la	i	gli	le	
a	al	allo	all'	alla	ai	agli	alle	to/at/in/on the
di	del	dello	dell'	della	dei	degli	delle	of the
da	dal	dallo	dall'	dalla	dai	dagli	dalle	from the
in	nel	nello	nell'	nella	nei	negli	nelle	in/to the
su	sul	sullo	sull'	sulla	sui	sugli	sulle	on the

Negative forms

To make a negative sentence **non** always precedes the verb.

e.g. **Non sono inglese.** I am not English.

    Non parlo italiano. I don't speak Italian.

Interrogative forms

Unlike English there is no change of word order in the interrogative form. A rising intonation in the spoken language and a question mark in the written language will indicate a question is being asked.

e.g. **Anna è sposata.** Anna is married.

    Anna è sposata? Is Anna married?

Grammar summary

Verbs

Italian has three main verb patterns: **-are**, **-ere**, **-ire**.
e.g. **torn<u>are</u> prend<u>ere</u> dorm<u>ire</u>**

<u>Present tense</u>

- <u>Regular verbs</u>
  The present tense of regular verbs is formed by dropping the infinitive ending **-are**, **-ere**, **-ire** and adding the following endings to the verb stem:

	torn<u>are</u>	prend<u>ere</u>	dorm<u>ire</u>	prefer<u>ire</u>*
(io I)	torn**o**	prend**o**	dorm**o**	prefer**isco**
(tu *you*)	torn**i**	prend**i**	dorm**i**	prefer**isci**
(lui/lei *he/she/it*)	torn**a**	prend**e**	dorm**e**	prefer**isce**
(noi *we*)	torn**iamo**	prend**iamo**	dorm**iamo**	prefer**iamo**
(voi *you plural*)	torn**ate**	prend**ete**	dorm**ite**	prefer**ite**
(loro *they*)	torn**ano**	prend**ono**	dorm**ono**	prefer**iscono**

  * Some **-ire** verbs are like **preferire**: **capire, finire, pulire, spedire**.

- <u>Reflexive verbs</u>
  The regular reflexive verbs are conjugated like any other regular verb. However, you must remember to add the reflexive pronoun (**mi**, **ti**, etc.) in front of each person.

	alz<u>arsi</u>		mett<u>ersi</u>		vest<u>irsi</u>	
(io)	**mi**	alz**o**	**mi**	mett**o**	**mi**	vest**o**
(tu)	**ti**	alz**i**	**ti**	mett**i**	**ti**	vest**i**
(lui/lei)	**si**	alz**a**	**si**	mett**e**	**si**	vest**e**
(noi)	**ci**	alz**iamo**	**ci**	mett**iamo**	**ci**	vest**iamo**
(voi)	**vi**	alz**ate**	**vi**	mett**ete**	**vi**	vest**ite**
(loro)	**si**	alz**ano**	**si**	mett**ono**	**si**	vest**ono**

- <u>Verbs ending in **-orre** and **-urre**</u>
  Verbs ending in in **-orre** and **-urre** have the following pattern.

	prop<u>orre</u>	trad<u>urre</u>
(io)	prop**ongo**	trad**uco**
(tu)	prop**oni**	trad**uci**
(lui/lei)	prop**one**	trad**uce**
(noi)	prop**oniamo**	trad**uciamo**
(voi)	prop**onete**	trad**ucete**
(loro)	prop**ongono**	trad**ucono**

- <u>Irregular verbs</u>

Here is the present tense of some irregular verbs.

	andare	**fare**	**uscire**
(io)	vado	faccio	esco
(tu)	vai	fai	esci
(lui/lei)	va	fa	esce
(noi)	andiamo	facciamo	usciamo
(voi)	andate	fate	uscite
(loro)	vanno	fanno	escono

	venire	**dare**	**bere**
(io)	vengo	do	bevo
(tu)	vieni	dai	bevi
(lui/lei)	viene	dà	beve
(noi)	veniamo	diamo	beviamo
(voi)	venite	date	bevete
(loro)	vengono	danno	bevono

- <u>Auxiliary verbs</u>

	essere	**avere**
(io)	sono	ho
(tu)	sei	hai
(lui/lei)	è	ha
(noi)	siamo	abbiamo
(voi)	siete	avete
(loro)	sono	hanno

- <u>Modal verbs:</u> **potere**, **volere**, **dovere**

They are followed by the infinitive.

e.g. **Posso venire da te?** Can I come to your place?

Voglio imparare l'italiano. I want to learn Italian.

Devo andare dal dentista. I have to go to the dentist.

	potere	**volere**	**dovere**
(io)	posso	voglio	devo
(tu)	puoi	vuoi	devi
(lui/lei)	può	vuole	deve
(noi)	possiamo	vogliamo	dobbiamo
(voi)	potete	volete	dovete
(loro)	possono	vogliono	devono

<u>Passato prossimo</u>

It is a compound tense made up of the present tense form of **avere** or **essere** plus the past participle of the main verb.

- The past participle (**participio passato**) of regular verbs is formed by adding the endings **-ato, -uto, -ito** to the stem.

infinitive	past participle
cant**are**	cant**ato**
vend**ere**	vend**uto**
part**ire**	part**ito**

- The past participle of verbs conjugated with **avere** does not agree with the subject.

	comprare
(io)	ho comprato
(tu)	hai comprato
(lui/lei)	ha comprato
(noi)	abbiamo comprato
(voi)	avete comprato
(loro)	hanno comprato

  As a general rule, transitive verbs, i.e. verbs taking a direct object, take **avere**. Note that the following intransitive verbs also take the auxiliary **avere**: **ridere** – to laugh, **dormire** – to sleep, **passeggiare** – to walk, **sciare** – to ski, **viaggiare** – to travel, **nuotare** – to swim.

- The past participle of verbs conjugated with **essere** agrees with the subject.

	partire
(io)	sono partito/a
(tu)	sei partito/a
(lui/lei)	è partito/a
(noi)	siamo partiti/e
(voi)	siete partiti/e
(loro)	sono partiti/e

  Intransitive verbs, i.e. verbs used without a direct object, take the auxiliary **essere**. Here are some examples: **cadere** – to fall, **nascere** – to be born, **morire** – to die, **salire** – to climb, **diventare** – to become, **stare** – to be/stay, **rimanere** – to remain, **andare** – to go, **uscire** – to go out.

- Reflexive verbs always take **essere**.

	lavarsi
(io)	mi sono lavato/a
(tu)	ti sei lavato/a
(lui/lei)	si è lavato/a
(noi)	ci siamo lavati/e
(voi)	vi siete lavati/e
(loro)	si sono lavati/e

The imperative

The imperative is used to give instructions, orders and to make strong suggestions. There are two types of imperative: Informal and Formal.

- Informal imperative (**tu**/**voi**)
  The forms of the informal imperative of all verbs are the same as those of the present tense. The exception is the **tu** form of the verbs ending in **-are** which always end in **-a** in the imperative form.

  The imperative forms are:

	scus<u>are</u>	**prend<u>ere</u>**	**part<u>ire</u>**	**cap<u>ire</u>**
(**tu** you singular)	scus**a**	prend**i**	part**i**	cap**isci**
(**voi** you plural)	scus**ate**	prend**ete**	part**ite**	cap**ite**

- Formal imperative (**Lei**/**Loro**)
  The forms of the formal imperative are:

	scus<u>are</u>	**prend<u>ere</u>**	**part<u>ire</u>**	**cap<u>ire</u>**
(**Lei** you singular)	scus**i**	prend**a**	part**a**	cap**isca**
(**Loro** you plural)	scus**ino**	prend**ano**	part**ano**	cap**iscano**

  In contemporary usage, the **voi** form is preferred to the **Loro** form of the imperative.

- Irregular imperative

	avere	**essere**	**andare**	**dare**	**dire**	**fare**	**stare**	**venire**
(tu)	abbi	sii	va'/vai	da'/dai	di'	fa'/fai	sta'/stai	vieni
(voi)	abbiate	siate	andate	date	dite	fate	state	venite
(Lei)	abbia	sia	vada	dia	dica	faccia	tia	venga
(Loro)	abbiano	siano	vadano	diano	dicano	facciano	stiano	vengano

- Negative form
  The negative **tu** form is expressed with **non** + infinitive.
  e.g. **Non andare via!** Don't go away!

  The negative **voi**, **Lei** and **Loro** forms are the same as the affirmative preceded by **non**.
  e.g. **Non vada via.**
  Non andate via.
  Non vadano via.

Other structures

The verb **piacere**
The verb **piacere** means 'to like something or somebody'.

- Notice the two different constructions:
  1) **mi**/**ti**/**Le** ... **piace** + infinitive
     where **piacere** is used only in the third person singular.
     e.g. **Mi piace dormire**. I like sleeping.

2) **mi/ti/Le … piace** + singular noun
   mi/ti/Le … piacciono + plural noun
   where **piacere** is used in the third person singular (**piace**) or third person plural (**piacciono**) according to whether the noun that follows is singular or plural.
   e.g. **Mi piace l'italiano.** I like Italian.
   e.g. **Mi piacciono gli italiani.** I like Italians.

Remember that:
In the questions **ti** piace/piacciono is informal.
                   Le piace/piacciono is formal.
In the negative **non** comes before **mi/ti/Le** … e.g. <u>Non</u> **mi piace la grammatica.**

- The **passato prossimo** of **piacere** takes the auxiliary **essere**.

  mi è piaciuto/a   mi sono piaciuti/e
  ti è piaciuto/a   ti sono piaciuti/e
  gli/le è piaciuto/a   gli/le sono piaciuti/e
  ci è piaciuto/a   ci sono piaciuti/e
  vi è piaciuto/a   vi sono piaciuti/e
  gli è piaciuto/a   gli sono piaciuti/e

  Note that the past participle **piaciuto** agrees in number and gender with the thing that is liked.
  e.g. **Il film mi è piaciut<u>o</u>.** I liked the film.
       La città mi è piaciut<u>a</u>. I liked the city.
       Gli attori mi sono piaciut<u>i</u>. I liked the actors.
       Le attrici mi sono piaciut<u>e</u>. I liked the actresses.

- The negative of **piacere** is **non piacere** (**Mi dispiace** means: I'm sorry).
  e.g. **Non mi piace Londra.** I don't like London.
       Non mi è piaciuta la festa. I did not like the party.

<u>**Da quanto tempo …?** How long for …?/Since when …?</u>
This expression indicates duration. Whereas in English 'How long for' takes the present perfect, in Italian 'da quanto tempo' takes the present tense.
e.g. **Da quanto tempo abiti a Roma?** How long have you been living in Rome?

<u>Expressions with the infinitive</u>

Penso di + infinitive, e.g. **Penso di andare al mare tra due settimane.** I am thinking of going to the seaside in two weeks' time.

Avere bisogno di + infinitive, e.g. **Hai bisogno di riposare!** You need to rest!

Decidere di + infinitive, e.g. **Ho deciso di tornare in Italia.** I have decided to return to Italy.

Sperare di + infinitive, e.g. **Spero di vederti presto.** I hope to see you soon.

Non vedere l'ora di + infinitive, e.g. **Non vedo l'ora di finire l'università.** I can't wait to finish university.

Andare a + infinitive, e.g. **Perché non andiamo a ballare stasera?** Why don't we go dancing tonight?

Cominciare a + infinitive, e.g. **Lunedì comincio a lavorare.** I start work on Monday.

VOCABULARY

Nouns ending in -o are nearly all masculine and those ending in -a nearly all feminine: the gender is given here only for the exceptions. The gender of all other nouns is given.
m=masculine; f=feminine; m/f=masculine or feminine as appropriate.

a	at, in (prep)
a bordo	on board
a cavallo	on horseback
a che ora?	at what time?
a destra di	on the right of
a me sì/anche a me	I do/so do I
a parte	separately
a presto	see you soon
a proposito	by the way
a sinistra di	on the left of
a spalla	on one's shoulders
abbastanza	quite/enough
abitare	to live
accanto a	next to
accedere	to have access to, to enter
accludere	to attach
accogliente	cosy
accompagnatore turistico	tourist guide
acqua minerale	mineral water
acquistare	to buy
acrobata (m/f)	acrobat
addormentarsi	to fall asleep
adesso	now
affittare	to rent
affitto	rent
agente di polizia (m/f)	policeman/woman
agenzia immobiliare	estate agent
agosto	August
albanese	Albanian
albergo	hotel
alfabeto	alphabet
all'estero	abroad
allegro	cheerful
alloggio	accommodation
alto	tall
altro	other
altruista	selfless
amaca	hammock
amaro	digestive (lit. bitter)
ambizioso	ambitious
americano	American
amicizia	friendship
amico	friend

amore (m)	love
ampio	large
anche	also/too
anche per me	for me too
ancora	again
andare	to go
andare a cena fuori	to go out to dinner
andare a dormire	to go to bed
andare a lezione	to go to class
andare all'università	to go to college
andare all'estero	to go abroad
andare in bicicletta	to go cycling
andare/venire a trovare	to visit
angolo	corner
animale (m)	animal/pet
animatore/animatrice	entertainer
anno	year
annoiato	bored
annuncio	advert
anticipo	advance
antico	old/antique
antipasto	starter
antipatico	unpleasant
anzi	on the contrary
anziano	elderly
aperitivo	aperitif
aperto	open
appartamento	flat/apartment
appena	as soon as/just
aprile	April
aprire	to open
aranciata	orangeade
arancione	orange
architetto	architect
architettura	architecture
archivio	archive
argentino	Argentinean
aria condizionata	air conditioning
arieggiato	airy
armadio	wardrobe
arrivare	to arrive
arrivederci	good bye (inf/for)
arrivederla	good bye (very for)
arrogante	arrogant
artigianato	handicrafts
artista (m/f)	artist
artista in erba	a budding artist
ascensore (m)	lift/elevator
ascoltare	to listen to
aspettare	to wait
aspirapolvere (m)	vacuum cleaner
assistente sociale (m/f)	social worker
astemio/a	teetotaller

Vocabulary

attore/attrice	actor/actress	brasiliano	Brazilian
attraversare	to cross	bruno	brown/dark
audizione (f)	audition	brutto	ugly
aumento	increase	bugia	lie
australiano	Australian	bugiardo	liar
austriaco	Austrian	buio	darkness
autobus (m)	bus	buonanotte	good night
avanzo	leftover	buonasera	good evening
avere	to have	buongiorno	good morning
avere bisogno di	to need		
avere fame	to be hungry		
avere paura	to be afraid	c'è	there is
avere sete	to be thirsty	cabina telefonica	telephone booth
avere sonno	to be sleepy	caffè (m)	coffee
avere voglia di	to be in the mood for	caffè corretto	laced coffee
azzurro	light blue	caffè decaffeinato	decaffeinated coffee
		caffè macchiato	coffee with a dash of milk
baciare	to kiss	calamari (pl)	squid
baffi (pl)	moustache	calciatore (m)	football player
bagno	bathroom	calcio	football
balcone (m)	balcony	caldo	hot
ballare	to dance	calmo	calm
bambino	child	calvo	bald
banca	bank	camera	room
bancarella	market stall	camera da letto	bedroom
bancomat (m)	cash dispenser	camera doppia	double room
bar	café	camera singola	single room
barba	beard	camera tripla	triple room
basso	short	cameriere/a	waiter/waitress
battello	boat	campagna	countryside
belga	Belgian	campo da tennis	tennis court
bellissimo	very attractive	canadese	Canadian
ben coltivato	cultivated	cantare	to sing
benissimo	very well	cantina	cellar
bere	to drink	canzone (f)	song
bianco	white	capelli (pl)	hair
biblioteca	library	Capodanno	New Year's Day
bicicletta	bicycle	cappello	hat
bidè (m)	bidet	caratteristica	characteristic
biennio	a period of two years	caricatura	caricature
bifamiliare	semi-detached	carino	nice, pleasant
biglietto	ticket	carissimo/a	dearest
biglietto di andata e ritorno	return ticket	carne (f)	meat
		caro	dear/expensive
binario	platform	carriera	career
biologia	biology	casa	home/house
biologo/a	biologist	casalinga	housewife
biondo	blond	cassetto	drawer
birra	beer	castano	brown
bistecca	beefsteak	cauzione (f)	deposit
blu	dark blue	cellulare (m)	mobile phone
bontà	goodness	cena	dinner/supper
borgo	suburb/village	cenare	to have dinner/supper
borsa	bag	centrale	central
borsa di studio	scholarship	cercare	to look for
bottega	small, family-run shop	cercare di	to try
braccio	arm	cercasi	wanted

certo	of course	da	for/since/from/at
che?	what?	da bere?	anything to drink?
che	which/that	da queste parti	nearby
che cosa?	what?	danese	Danish
che noia!	how boring!	danza	dance
che peccato!	what a pity/shame!	dare su	to open onto
chiamarsi	to be called	davanti a	in front of
chiesa	church	davvero	really
chimica	chemistry	decorazione (f)	decoration
chiudere	to close	decorazioni natalizie	Christmas decorations
chiuso	closed/shut down	delfino	dolphin
ci sono	there are	dentista (m/f)	dentist
ciao	hi, hello/goodbye (inf)	deprimente	depressing
cielo	sky	descrivere	to describe
cinese	Chinese	desidera/desiderano?	what would you like?
cioccolata	chocolate	desiderare	to wish
città	city/town	di	from, of
città di provenienza	place of origin	di dove?	where from?
clima (m)	climate/weather	di fianco a	next to
coda di cavallo	pony-tail	di fronte a	opposite
colazione (f)	breakfast	di media statura	of medium height
colloquio	interview	di solito	usually
colorato	colourful	dicembre	December
colore (m)	colour	dieta	diet
come	how	dietro (a)	behind
come al solito	as usual	difficile	difficult
come stai?	how are you?	difficoltà	difficulty
come va?	how is it going?	dinamico	dynamic
cominciare	to begin/to start	dipingere	to paint
commedia	play	dipinto	painting
commerciante (m/f)	shopkeeper	dire	to tell/to say
commesso/a	shop assistant	discipline (pl) di area comune	core subjects
comodino	bedside table		
compagno/a di corso	classmate	disco	record
compleanno	birthday	discoteca	discotheque
complicato	complicated	disfunzione cardiaca (f)	heart condition
comprare	to buy	disordinato	untidy
con	with	distrarsi	to be distracted
condizione (f)	condition	distributore (m)	petrol station
conoscere	to meet	divano	sofa
consistere (di)	to consist (of)	divano-letto	sofa bed
contorno	side dish	diventare	to become
controfigura	understudy	divertirsi	to enjoy oneself/ to have fun
coppia	couple, pair		
coreografia	choreography	dividere	to share
cornetto	croissant	divorziato	divorced
corridoio	corridor	doccia	shower
corso	course	dolce (m)	sweet/dessert
corte (f)	court/court-yard	domanda	question
corteggiare	to court	domandare	to ask/enquire
corto	short	domani	tomorrow
costare	to cost	domenica	Sunday
cucina	cuisine/kitchen/cooker	donna	woman
cucinare	to cook	dopo	after
cuore (m)	heart	dopodomani	the day after tomorrow
curriculum (m)	CV	dormire	to sleep
		dove?	where?
		dovere	to have to/must

Vocabulary

dritto	straight on	fino a	until/as far as
durante	during	fino a tardi	till late
		fiore (m)	flower
		fisica	physics
e	and	fisico	physical
ecco	here is	flauto	flute
economia	economics	formaggio	cheese
edicola	newspaper kiosk	forno	oven
egiziano	Egyptian	forno a micro-onde	microwave oven
elegante	elegant	fotografia	photo
enorme	huge	fra	between
esame (m)	exam	fragola	strawberry
esattamente	exactly	francese	French
esecuzione (f)	performance	fratello	brother
esperienza	experience	freddo	cold
esperto	experienced	frequentare	to attend
essere	to be	frigorifero	fridge
essere a dieta	to be on a diet	fruttivendolo	greengrocer
essere assunto	to be appointed/ employed	fumare	to smoke
		fuori	out/outside
essere innamorato (di)	to be in love (with)	fuori corso	a student who is repeating one or more academic years
essere iscritto	to be enrolled		
estero	abroad		
età	age		
evento	event/occasion		
		gallese	Welsh
		gamberetti (pl)	shrimps
fa	ago	garage	garage
fa freddo	it's cold	garantire	to guarantee
facciamo alle 8	let's say at 8 o'clock	gatto	cat
facile	easy	gelato	ice cream
facoltà	faculty	gelido	ice-cold
famiglia	family	gemello	twin
fare	to do/to make	genio	genius
fare colazione	to have breakfast	gennaio	January
fare fotografie	to take photographs	gente (f)	people
fare la spesa	to do the shopping	gentile	kind
fare pratica	to practise	giacca	jacket
fare un giro	to go around	giallo	yellow
fare una festa	to have a party	giapponese	Japanese
fare una passeggiata	to go for a walk	giardino	garden
farmacia	pharmacy	giocare	to play
febbraio	February	gioco	game
fedeltà	faithfulness	giornale (m)	newspaper
fermata	stop	giorno	day
fermoposta	PO Box	giovane	young
festa	party	giovanile	youthful
festeggiare	to celebrate	giovedì	Thursday
fiaccolata	torchlight procession	giugno	June
fiera	fair	giusto	right
figlia	daughter	gli	the (def. article m. pl.), to him, to them
figlio	child/son		
film giallo (m)	thriller	godersi la vita	to enjoy life
filodiffusione (f)	wireless radio	grasso	fat
filosofia	philosophy	grassottello	chubby
finesettimana (m)	weekend	grazie a	thanks to
finestra	window	grazie	thanks
finire	to finish	greco	Greek

grigio	grey	istituto privato	private school
guadagnare	to earn	Italia	Italy
guardare la TV	to watch television	italiano	Italian
gustare	to taste		
		l'	the (def. article f. m. sing.), it, him, her
i	the (def article m. pl.)	la	the (def. article f. sing.), it, her
il	the (def. article m. sing.)	lago	lake
ideale	ideal	lampada	lamp
idromassaggio	jacuzzi	lampadario	lampshade
ieri	yesterday	largo	wide
l'altro ieri	day before yesterday	lavanderia	launderette
il più piccolo/ la più piccola	the youngest	lavandino	wash basin
il/la più giovane	the youngest	lavare i piatti	to do the washing up
imparare	to learn	lavarsi	to wash oneself
impegnativo	demanding	lavastoviglie (f)	dishwasher
impegno	commitment	lavatrice (f)	washing machine
impersonale	impersonal	lavello	kitchen sink
impiegato/a	white collar worker	lavorare	to work
impiegato/a statale	civil servant/clerk	lavoro	job/work
impiego	job	lavoro fisso	permanent job
in	in, at	lavoro saltuario	temping job
in alto	up/above	lavoro stagionale	seasonal job
in fondo a	at the end/bottom of	lealtà	loyalty
in punto	on the dot	le	the (def. article f. pl.), to her, them
in seguito	then	legge (f)	law
in vendita	on sale	leggenda	legend
inaugurare	to open officially, to initiate	leggere	to read
		lei/Lei	she/You (for)
incarico	task	lentiggini (pl)	freckles
incluso	included	lento	slow
incolto	unkempt	lenzuola (f pl)	sheets
incontentabile	difficult to please	lettera	letter
incontrare	to meet	lettere (pl)	humanities
incontro	meeting	letto	bed
incrocio	crossroads	li	them
indiano	Indian	lì	there
indirizzo	address	libero	free
infermiere/a	nurse	libertà	freedom
influenza	influence	libreria	bookcase/bookshop
influenzare	to influence	libro	book
informatica	computing	liceo coreutico	arts and dance school
ingegnere (m)	engineer	lingua straniera	foreign language
ingegneria	engineering	lingue (pl)	languages
inglese	English	liscio	straight
ingresso	hall	litigare con	to argue with
innaffiare le piante	to water the plants	lo	the (def. article m. sing.), it, him
insalata	salad		
insegnante (m/f)	teacher	locale (m)	entertainment venue
insegnare	to teach	locanda	inn
insieme	together	lontano	far
intelligente	intelligent	luglio	July
inutilmente	in vain	lui	he
invece	on the contrary/ instead of	luminoso	light
irlandese	Irish	lunedì	Monday
islandese	Icelandic		

165

Vocabulary

lungo	long	musica dal vivo	live music
ma	but	naso	nose
macchina	car	Natale (m)	Christmas
madre (f)	mother	nazionalità	nationality
maggio	May	nazione (f)	nation
maglione (m)	sweater	neanche	not even
magro	thin	neanche a me/a me no	neither do I/I don't
mai	never/ever	negozio	shop
mangiare	to eat	neozelandese	New Zealander
mano (f)	hand	nero	black
mansione (f)	duty	nigeriano	Nigerian
mare (m)	sea, seaside	nipotino/a	nephew/niece
marito	husband	no	no
marocchino	Moroccan	noioso	boring
marrone	brown	nome (m)	name
martedì	Tuesday	nome d'arte	stage name
marzo	March	non	not
materasso	mattress	non ancora	not yet
materia	subject	non ti pare?	don't you think?
matrimoniale	double	nonna	grandmother
matrimonio	marriage	nonno	grandfather
mattina	morning	norvegese	Norwegian
medicina	medicine	notte (f)	night
medico	doctor	notturno	nocturnal
mela	apple	novembre	November
mensa	canteen	novità	the latest
mensola	shelf	numero di telefono	telephone number
mercato	market	numeroso	large
mercoledì	Wednesday	nuotare	to swim
mese (m)	month	nuovo	new
messicano	Mexican		
metropolitana	tube	o	or
mettere in scena	to stage	occhiali (pl)	spectacles
mezza pensione (f)	half board	occupato/a	busy
mezzanotte (f)	midnight	oceano	ocean
mezzogiorno	midday	odiare	to hate
migliorare	to improve	offerta	offer
migliore	better, best	oggi	today
militesente	exempt from National Service	ogni tanto	every now and then
		olandese	Dutch
Ministero della Pubblica Istruzione	Department of Education	oltre (a)	apart from/over
		ora	hour/now
misto	mixture/mixed	ora di pranzo	lunchtime
moda	fashion	ora tocca a te	now it is your turn
modello/a	model	ordinare	to order
moderno	modern	ordinato	tidy
modo	way	orecchino	earring
moglie (f)	wife	ospedale (m)	hospital
moltissimo	a lot	ottima conoscenza	very good knowledge
molto spesso	very often	ottimo	very good
monotono	monotonous/boring	ottobre	October
montagna	mountain		
morire	to die	padre (m)	father
morto	dead	pagare	to pay
mostra	exhibition		
museo	museum		

pakistano	Pakistani
palestra	gym
panino	roll
parcheggio	parking facilities
parco	park
parrucchiere/a	hairdresser
partire	to leave
partita	game
passando davanti	passing by, going past
passare	to pass
passeggero	passenger
patatine fritte (pl)	chips
pavimento	floor
pazzo	mad, crazy
penna	pen
pensare	to think
pensione completa (f)	full board
in pensione	retired
per	for/in order to
per favore/cortesia	please
per niente	not at all
perché	because/why
perciò	so/therefore
perdere	to lose
perdere la testa per qualcuno	to be madly in love with somebody
perditempo	time waster
periferia	suburbs
però	but/however
persona	person
personalità	personality
pesante	heavy
pesce (m)	fish
piacere	to like
piacere da morire	to like very much
pianista (m/f)	pianist
piano	floor
pianta	plant
piazza	square
piccolo	little/young
pieno di	full of
piovere	to rain
piscina	swimming pool
piumone (pl)	duvet
pizzeria	pizza house
poesia	poetry
poi	then
pollo	chicken
poltrona	armchair
pomeriggio	afternoon
pomodori secchi (pl)	sun-dried tomatoes
pomodoro	tomato
porta-finestra	French window
portare	to have/to wear
portare al successo	to make famous
portoghese	Portuguese
posto	place
potere	to be able to/can

non poterne più	to be fed up
pranzare	to lunch/have lunch
pranzo	lunch
preferire	to prefer
prego	not at all
prendere	to take/to have/ to pick up
prendere il sole	to sunbathe
prenotare	to book
prenotazione (f)	booking
preparare	to prepare
presso	at the/near
presto	early/soon
prima	première
prima (di)	before
prima di tutto	first of all
primo	first
primo (piatto)	first course
principio	principle
problema (m)	problem
processione (f)	procession
prodotto	product
professione (f)	profession
professione attuale	current occupation
professionista (m/f)	professional
promettere	to promise
pronto	ready/hello (phone)
proprio lì	right there
prosciutto	ham
prossimo	next
protagonista (m/f)	hero/main character
psicologo/a	psychologist
pulire	to clean

quadrimestre (m)	term
quadro	picture/painting
qualche volta	sometimes/ occasionally
qualcosa	something
quale	what/which
quant'è?	how much is it?
quanti	how many?
quanto	how much?
quanto pago?	how much do I owe you?
quarto	fourth, quarter
quasi	almost
quasi mai	hardly ever
questo	this
qui	here
qui vicino	nearby
quinto	fifth

raccontare	to tell
ragazzo/a	boy/girl

Vocabulary

ragioniere/a	accountant/ bookkeeper	scendere	to get off
rapporto	relationship/rapport/ report	scenetta	sketch
		scheda di prenotazione	booking form
raramente	rarely	sciarpa	scarf
reciproco	reciprocal	sconto	discount
recitare	to act	scopo	aim/objective
regalo	present	scopo amicizia	with view to friendship
regista (m/f)	director	scorso	last
requisito	requirement	scozzese	Scottish
pari requisiti (pl)	same requirements	scrittore (m)	writer
residenza	residence	scrivania	desk
resoconto	account/report	scrivere	to write
restituire	to give back	scuola	school
ricambiare	to reciprocate/ to return	scuola di ballo classico	ballet school
		scuola superiore	secondary school
riccio	curly	scuro	dark
richiamare	to call back	scusare	to excuse
riconoscersi	to recognise each other	secchione (m)	swot
		secondo	second
riferimento	reference	secondo (piatto)	second course
in riferimento a	with reference to	sedia	chair
rimanere	to stay/to remain	segretario/a	secretary
rinnovato	renovated	segreteria	faculty office
riparare	to repair	selezionare	to select/to shortlist
ripetere	to repeat	selvaggio	wild
ripostiglio	storeroom	semaforo	traffic lights
risarcibile	refundable	sempre	always
riscaldamento	central heating	sentire	to hear
riservato	reserved	sentirsi male	to feel sick
rispondere	to answer	senza	without
risposta	answer	sera	evening
ristorante (m)	restaurant	servizi immobiliari (pl)	estate agent
robusto	robust/sturdy	servizi richiesti (pl)	requirements
romanzo	novel	servizio	service
rompersi	to break	settembre	September
rosa	pink	settimana	week
rosso	red	sì	yes
rumoroso	noisy	se	if
		sigaro	cigar
		simpatico	nice, pleasant
		sistema scolastico (m)	school system
sabato	Saturday	snello	slim
sagra	festival	soddisfare	to satisfy
sala da pranzo	dining room	soggiorno	living room
sala lettura	reading room	sognare	to dream
salotto	lounge, parlour	sogno	dream
salutare	to greet	soldi (pl)	money
salutare (adj)	healthy	sole (m)	sun
salve	hello/hi, goodbye (inf)	soleggiato	sunny
sano	healthy/sound	solo	only
sapere	to know	sopra	on top of, above
fammi sapere	let me know	sorella	sister
sbagliare	to make a mistake	sorgere del sole	sunrise
sbagliato	wrong	sotto	under
scaffale (m)	shelf	spagnolo	Spanish
scambio	exchange	spazioso	spacious
scarpa	shoe	specchio	mirror
scatola	box	spedire	to send

spesso	often	tempo	weather
spettacolo	show, performance	tenda	curtain
spiaggia	beach	terremotato	earthquake victim
spiritoso	witty	terzo	third
sporco	dirty	tetto	roof
sposato	married	timido	shy
spremuta	freshly squeezed juice	tirocinio	training
spumante (m)	sparkling white wine	titolo di studio	academic qualifications
stabile	stable		
stadio	stadium	tornare	to return
stancarsi	to get tired	torta	cake
stanco	tired	tostapane (m)	toaster
stanza	room	tra/fra	in, between, among
stasera	this evening/tonight	tra/fra tre giorni	in three days' time
stato civile	marital status	traduttore/traduttrice	translator
stazione ferroviaria (f)	railway station	tram (m)	tram
stilista (m/f)	fashion designer	tramezzino	sandwich
stipendio	salary	tranquillo	quiet
stirare	to iron	trasferirsi	to move
storico	historical	tratto da	taken from
strada	road/street	treno	train
la prima strada a destra	the first turning on the right	triennio	three years
		troppo	too much
straniero	foreign	trovarsi	to be situated
stressante	stressful	turco	Turkish
stretto	narrow	tutto	all
strisce pedonali (pl)	zebra crossing	tutto il giorno	the whole day/all day long
struttura	structure		
studente (m)	student (m)		
studentessa	student (f)		
studiare	to study	ubriacarsi	to get drunk
studio	studio	uccello	bird
stufa elettrica	electric heater	ufficio informazioni	information desk
su	over, on top of	ufficio postale	post office
subito	immediately	un	a/an (indef. article m.)
succo di frutta	fruit juice	un'	a/an (indef. article f.)
sudanese	Sudanese	una	a/an (indef. article f.)
sul mare	by the sea	un attimo	just a moment
suonare	to ring/to go off/to play (instrument)	un sacco/moltissimo	a lot/very much
		unico	only
superare	to overcome/to be over	unità sanitaria locale	local health service
		università	university
supermercato	supermarket	uno	one, a/an (indef. article m.)
supplemento	supplement		
svedese	Swedish	uomo	man
sveglia	alarm clock	uscire	to go out
svizzero	Swiss	uscire di casa	to leave home
tabaccaio	tobacconist	vacanza	holiday
tailandese	Thai	valigia	suitcase
tanto	a lot	vanitoso	vain
tappeto	carpet	vasca da bagno	bathtub
tardi	late	vasca idromassaggio	jacuzzi
tatuaggio	tattoo	vecchio	old
tavolo	table	vedere	to see
teatro	theatre	non vedo l'ora	I can't wait/I'm looking forward to
tedesco	German		

Vocabulary

vedova/o	widow/widower
vegetariano	vegetarian
veloce	fast
vendere	to sell
venerdì	Friday
venire	to come
venire a trovare	to visit
veramente	really
verde	green
verso	approximately/around
vespa	scooter
vestiti (pl)	clothes
vestito	suit/dress
viaggiare	to travel
vicino a	next to
villaggio turistico	tourist resort
viola	purple
vista	view
vista sul mare	sea view
vita	life
vivace	bright/lively
vivere	to live
vivo	alive
volere	to want
vongole (pl)	clams
zia	aunt
zio	uncle
zoologo/a	zoologist
zucchine (pl)	courgettes, zucchinis

ANSWERS

UNIT 1

4 università, facoltà, Ingegneria, Architettura, Lettere, Filosofia, Psicologia

5 **Men:** Paolo, Alberto, Fabio, Daniele, Simone, Francesco, Gastone, Antonio, Livio, Mauro, Giuseppe, Roberto, Davide, Marco, Massimo, Lauro, Valerio, Romeo, Claudio, Alessio, Dario, Luciano, Pietro, Riccardo, Ugo. **Women:** Chiara, Teresa, Anna, Daniela, Adele, Adelaide, Carmela, Rosaria, Caterina, Mara, Cinzia, Milena, Irene, Laura, Franca, Carla, Ivana, Susanna, Silvana, Lucia, Gemma, Gioia.

7 **a** Buonanotte. **b** Buonasera. **c** Buongiorno. **d** Arrivederci/Ciao. **e** Arrivederci/Ciao. **f** Buongiorno. **g** Arrivederci. **h** Ciao. **i** Arrivederla.

8 **a 1** Ramon Lopez, Valencia, Genova. **2** Mi chiamo, Sono, di, a.

9 Sei italiano? Sei irlandese?

10 **1** Italia **2** Francia **3** Spagna **4** Portogallo **5** Germania **6** Svizzera **7** Inghilterra **8** Irlanda **9** Olanda **10** Austria **11** Grecia **12** Belgio **13** Ungheria

11 francese, italiano, americana, indiano, inglese, francese, tedesco, italiana, americano, scozzese

12 **a** Daphne, francese, Parigi **b** Francesco, italiano, Milano, Filosofia **c** Gabriella, brasiliana, Rio **d** Ingo, tedesco, Francoforte **e** Efi, greca, Atene, Economia **f** Judith, inglese, Bristol **g** Paulo, portoghese, Lisbona, Informatica

13 **a** Mark is from Manchester. **b** Architecture. **c** 3rd year. **d** He wants to go and live in Italy.

Grammar exercises

1 **a** italiana **b** francese **c** nigeriana **d** spagnolo **e** brasiliana **f** tedesca **g** canadese **h** austriaco **i** inglese **j** giapponese **k** algerino **l** messicano

2 **a** ti, mi **b** si, mi **c** ti, mi **d** si

3 **a** abita, abito **b** sono, abito **c** sei, sono **d** si chiama, mi chiamo **e** studi, studio **f** abita, abito **g** è, sono

4 **a** Che cosa **b** Dove **c** Di dove **d** Come

UNIT 2

1 the architect – l'architetto, the translator – il traduttore/la traduttrice, the secretary – il segretario/la segretaria, the student – lo studente/la studentessa, the policeman/policewoman – l'agente di polizia, the psychologist – lo psicologo/la psicologa, the actor/actress – l'attore/l'attrice, the teacher – l'insegnante, the zoologist – lo zoologo/la zoologa

2 **a** Mi chiamo Paolo, Milano, svedese, psicologo, traduttrice. **b** Mi chiamo Mark Phillips, finlandese, agente di polizia.

3 Si chiama Leonardo Di Caprio, è americano, è attore e abita a Los Angeles.

4 Si chiama Kate, Sheffield, Firenze, architetto.

7 **Francesca:** italiana, sposata, 23 anni, studentessa, 25 Gray's Inn Road, London WC1X 7JE, tel. 0207 278 6357 **Mark:** irlandese, sposato, 25 anni, traduttore, same address and tel. no. as Francesca.

8 Come ti chiami? – Francesca; Di dove sei? – Di Roma; Dove abiti? – Abito a Londra; Che lavoro fai? – Sono studentessa; Sei sposata? – Sì; Quanti anni hai? – Ho ventitré anni; Qual è il tuo indirizzo? – Il mio indirizzo è: 25 Gray's Inn Road, London; Qual è il tuo numero di telefono? – Il mio numero di telefono è 0207 278 6357.

9 Mi chiamo Nicoletta Matta, Sono di Pisa, Ho ventun'anni, Sono studentessa, No, Via Garibaldi 33, 33 41 60.

10 a moglie b fratello c sorella d figlio e marito f figlia g padre h madre i zio j zia k nonno l nonna

11 a mio, mia, mio, mia, mia, mio, mia

b 1 True 2 False (it is Paola who lives with her grandmother) 3 False (uncle Enzo has only two sisters)

12 la signora, cinquantanove (59), il signor, sessanta (60), l'attore.

13 **Mark:** Scottish, from Glasgow, lives in Zurich, zoologist. **Luisa Terracciano:** Italian, from Naples, lives in Birmingham, doctor. **Kurt Geller:** Swiss, from Berne, lives in Rome, secretary.

14 a She met the man of her life. b He is Iranian, but lives in London. He is 32, works as an architect and is very handsome. c He isn't divorced yet. d She got a new job.

Grammar exercises

1 l'insegnante, lo studente, la studentessa, il cameriere, lo scrittore, l'attore, l'attrice, l'ingegnere, il medico, l'infermiera, la cameriera, la psicologa, la zoologa, il commesso, il ragioniere, la casalinga, la modella

2 a Lisa è brasiliana, abita a Roma, ha 25 anni, è studentessa di Medicina. b Theresa è australiana, abita a Sydney, ha 41 anni e fa l'assistente sociale. c Bernd è tedesco, abita a Heidelberg, ha 33 anni, è ingegnere. d Simone è italiano, abita a Tel Aviv, ha 29 anni e fa il biologo.

3 a Quanti anni hai? Quanti anni ha? b Qual è il tuo numero di telefono? Qual è il suo numero di telefono? c Di dove sei? Di dov'è? d Qual è il tuo indirizzo? Qual è il suo indirizzo? e Sei sposata? È sposata? f Che lavoro fai? Che lavoro fa?

4 a sua b mio, mia c tuo d sua

5 architetti, medici, studenti, commesse, nonno, zio, zia, padre, traduttrici, nonna

UNIT 3

2 a Sono le cinque e mezza. b Sono le due meno venti. c Sono le quattro e un quarto. d Sono le otto. e Sono le sei meno dieci. f È l'una.

3 a 5.10 b 8.15 c 12.50 d 12.25 e 12.00 f 5.45 g 9.30

4 the bank – la banca, the supermarket – il supermercato, the discotheque – la discoteca, the museum – il museo, the faculty office – la segreteria, the library – la biblioteca, the canteen – la mensa, the archive – l'archivio, the information desk – l'ufficio informazioni, the newsagent's – l'edicola

6 a la biblioteca, otto e trenta, diciannove e trenta b le banche, nove, due

8 **La mattina:** alle otto, e poi, alle nove, e **Il pomeriggio:** all'una e mezza, dopo, alle cinque, cinque e mezza, Poi, e **La sera:** alle otto, poi **La notte:** verso, e.

9 vado – andare, faccio la doccia – fare la doccia, torno – tornare, ceno – cenare, pranzo – pranzare, mi alzo – alzarsi, esco – uscire, mi riposo – riposarsi, studio – studiare, faccio colazione – fare colazione

12 dopo, casa, alle, poi, e

17 **Negozi:** open 8.30 am and 4 pm, close 1 pm and 8 pm **Discoteca:** opens at about 11 pm, closes 2.30/3 am **Mensa:** opens at 12 midday and 6.30 pm, closes 2.30 pm

18 Morning: she gets up at 8 am, listens to the radio news while she gets ready, 8.30/8.45 breakfast, until 12.30/1.00 library **Afternoon:** 1.00/2.00 pm lunch in the canteen with friends, coffee in a bar with friends, 2.00/5.00 pm lessons **Evening:** swimming, 7.00 pm. back home, 8.00 pm dinner, then studies until 9.30/10.00 pm, watches television, listens to music, makes phone calls **Night:** goes to bed around midnight

Grammar exercises

1 i, le, gli, gli, i, i, i, le, le, le, gli, i, le, le/gli, gli, gli, le, gli

2 **a** è **b** sono, è **c** sono **d** è, sono **e** è, sono **f** sono, è

3 **a** ceno **b** studiamo **c** torni **d** fa **e** dorme

4 Mi chiamo, si chiama, si alza, si lava, mi riposo, mi diverto, esco, lavora

5 **a** esco **b** va **c** fa **d** fai **e** esci **f** vado

UNIT 4

1 **a** leggere, andare al cinema **b** cucinare, uscire con gli amici **c** fare una passeggiata, andare a ballare

3 **a** Anche a me. **b** A me sì. **c** Neanche a me. **d** Anche a me. **e** A me no.

4 **Accordo:** Anche a me. Neanche a me. **Disaccordo:** A me no. A me sì.

6 piacciono, piace, piace, piacciono, piacciono

8 **a** 1 **b** 4 **c** 5 **d** 3 **e** 2

10 1, 7, 4, 2, 6, 5, 3, 8, 9

12 **a** caffè **b** vino **c** teatro **d** pizza **e** Roma **f** aranciata

14 sempre – molto spesso – spesso – qualche volta – ogni tanto – raramente – quasi mai – mai

15 non, quasi mai, raramente, ogni tanto, qualche volta, qualche volta, ogni tanto, spesso, molto spesso, non, mai, sempre

18 **a** Va mai in biblioteca? **b** Va spesso in piscina? **c** E Lei, legge spesso il giornale? **d** Scusi, Lei va mai in palestra?

20 **Cinema:** Mario likes the cinema because it is relaxing. Elena likes the cinema because it is interesting. **Theatre:** Mario doesn't like the theatre because it is boring. Elena likes the theatre. **Restaurant:** Mario prefers cooking. Elena likes restaurants because she hates cooking. **Gym:** They both like the gym because it is healthy.

21 **a** True **b** False. S. (sleeps and) always dreams about Susanna. **c** True **d** False. Susanna has a sexy voice. **e** False. S. thinks that love is a contagious illness.

Grammar exercises

1 **a** piace, piacciono **b** piace **c** piacciono **d** piace **e** piacciono

2 **a** Le piace **b** Tu preferisci **c** Ti piacciono **d** E lei cosa preferisce

3 **To agree: a** Anche a me. **b** Neanche a me. **c** Neanche a me. **d** Anche a me. **e** Anche a me. **To disagree: a** A me no. **b** A me sì. **c** A me sì. **d** A me no. **e** A me no.

5 **a** Non mangio mai la carne perché sono vegetariano. **b** Qualche volta mi piace fare una passeggiata nel parco. **c** Ogni tanto vado al ristorante e spesso invito amici a cena. **d** Non guardo quasi mai la televisione perché preferisco leggere.

UNIT 5

1 **Food:** panino al prosciutto, tramezzino, gelato, cornetto **Drinks:** caffè, tè, aranciata, birra, acqua minerale, cioccolata calda, succo di frutta, Coca Cola, spumante, spremuta d'arancia, aperitivo, cappuccino

2 1 il 2 il 3 il 4 il 5 l' 6 il 7 la 8 l' 9 la
10 il 11 il 12 la 13 lo 14 il 15 l' 16 la

3 1 un 2 un 3 un 4 un 5 un' 6 un 7 una
8 un' 9 una 10 un 11 un 12 una 13 uno
14 un 15 un 16 una

5 a €5,35 b €4,50 c €3,25 d €12,20

6 a 3 b 1 c 4 d 2

8 **antipasti:** gamberetti in salsa rosa,
prosciutto e melone, salumi e olive,
bruschetta, insalata caprese **primi:** risotto
alla pescatora, gnocchi al pesto, spaghetti
alle vongole, linguine alla 'Spiaggia d'Oro',
ravioli agli spinaci **secondi:** bistecca ai
ferri, pesce alla griglia, pescespada alla
griglia, calamari fritti, pollo alla diavola,
polenta alla valdostana, capretto
contorni: insalata mista, patatine fritte,
zucchine fritte, peperonata **dessert:**
tiramisù, gelati, torta 'Spiaggia d'Oro',
cassata siciliana, macedonia di frutta,
crostata di frutta,

9 caprese, gamberetti in salsa rosa, linguine
alla 'Spiaggia d'Oro', gnocchi al pesto
(mentioned, but not ordered), ravioli agli
spinaci, calamari fritti, insalata mista,
peperonata, vino bianco della casa, acqua
minerale

10 Scusi, vorrei, Cosa sono, Prendo, Abbiamo,
Anche per me, preferisco, Da bere

13 1 radio filodiffusione 2 riscaldamento
3 aria condizionata 4 piscina 5 campo da
tennis 6 mezza pensione 7 pensione
completa 8 TV 9 bancomat 10 telefono
11 bagno 12 doccia 13 camera doppia
14 camera tripla 15 frigo-bar 16 vasca
idromassaggio 17 camera singola 18
parcheggio 19 bar 20 ristorante
21 discoteca 22 sul mare 23 centro
24 lavanderia 25 sala lettura

15 vorrei, camera singola, bagno, notte, con
doccia, colazione, C'è, ci sono, c'è,
prendo, piano, passaporto

17 gennaio, febbraio, marzo, aprile, maggio,
giugno, luglio, agosto, settembre, ottobre,
novembre, dicembre

18 **The girl orders:** 1 coffee – €1,10;
1 mineral water – €1,30; 1 ice cream –
€1,50 **The boy orders:** 1 beer – €2,00;
1 ham roll – €2,75

19 **Nome:** Lucia Patroni **Tipo di camera:**
singola senza bagno **Periodo:** 20–23
maggio **Prezzo:** €40,00 **Servizi richiesti:**
telefono, TV

Grammar exercises

1 le limonate, i cappuccini, le spremute, i
succhi di frutta, i panini, i cornetti, le birre,
i tè, gli amari, i gelati, i tramezzini, gli
aperitivi, le paste, i caffè, le Coca Cole

2 una, un, un, un, un, un, una, un, una, una,
un, una, una, una, un, una, un, una

3 a c'è b Ci sono c Ci sono d Ci sono
e c'è

4 a in, a, al b in c con/da, da d in, in, al
e di, in, a

5 state, sono, siamo, ci alziamo,
passeggiamo, vediamo, facciamo,
passiamo, ci riposiamo, andiamo, balliamo,
torniamo, fate

UNIT 6

1 ingresso, soggiorno, giardino, cucina,
ripostiglio, sala da pranzo, camera da letto,
bagno, studio, garage

2 ideale, bella, grande, spaziosa, piccolo,
luminoso, incolto, selvaggio, tranquillo,
accogliente, moderna, buio, ordinata,
fredda, carine, colorate, vecchio, lungo,
stretto

3 a to the right of b to the left of c at the
end of d next to e in front of f between

4

A floor plan with the following rooms labelled: balcone, soggiorno, cucina, ripostiglio, corridoio, bagno, camera da letto, ingresso

5 **a** 5 **b** 1 **c** 4 **d** 2 **e** 3

7 **Kitchen:** la cucina, il tavolo, il lavello, la lavatrice, le tende, il forno a micro-onde, l'aspirapolvere, la lavastoviglie, il frigorifero, le sedie **Bedroom:** la lampada, il comodino, il letto, il materasso, le tende, il quadro, il piumone, le lenzuola, la scrivania, lo specchio, l'armadio, il tappeto, lo scaffale, la stufa elettrica **Bathroom:** la vasca da bagno, le tende, la doccia, il bidè, il lavandino, lo specchio, l'idromassaggio **Living room:** il divano, il lampadario, la poltrona, le tende, la libreria, il quadro, il divano-letto, lo specchio, il tappeto, lo scaffale, la stufa elettrica

8 tende, letto, alla, al, comodino, lampada, armadio, della, scrivania, al, della, sulla, scaffali, scrivania

9 alla = a + la, al = a + il, della = di + la, al = a + il, della = di + la, sulla = su + la, sugli = su + gli, della = di + la

11 Dble rm for F, Rent £520 PCM, Bills exc, Dep £520, Nr tube/BR, Non-smoker, 07887 66307, Cat lover.

12 **Mara:** 1, 9, 11, 5, 15, 13, 7, 3, 17
Proprietaria: 2, 18, 12, 4, 16, 6, 10, 14, 8

Mara: Buongiorno. Ho visto l'annuncio sul giornale.
Proprietaria: Ah, per la camera, vero?

Mara: Sì, certo. Com'è la camera.
Proprietaria: Ha un letto matrimoniale, è bella, spaziosa, con uso cucina.
Mara: Dove si trova esattamente?
Proprietaria: A Pimlico, vicino alla metropolitana e anche alla stazione ferroviaria.
Mara: Ah, bene. È molto centrale. E scusi, ma quant'è l'affitto?
Proprietaria: 520 al mese. Il gas, l'elettricità e il telefono si pagano a parte.
Mara: E c'è una cauzione da pagare?
Proprietaria: Sì, prendo un mese di anticipo, risarcibile naturalmente. Senta posso farle alcune domande?
Mara: Sì, certo.
Proprietaria: Lei fuma?
Mara: No, non fumo.
Proprietaria: Ah, bene, perché, sa, vorrei una ragazza che non fuma. E le piacciono i gatti?
Mara: Sì, moltissimo. Adoro tutti gli animali.
Proprietaria: Perfetto. Senta, vuole venire a vedere la camera?
Mara: Sì, quando?
Proprietaria: Anche subito. L'indirizzo è …

13 **a** sono, camera, Vorrei, sapere, spaziosa, il riscaldamento, libera, pagare, venire, alle

15 **London: 1** two storied houses **2** garden **3** small functional kitchen **4** fitted carpet **5** untidy, 'lived-in' houses **6** no window in the bathroom, only an air vent
Bologna: 1 people live in flats **2** Italian flats are large, whereas in GB flats are usually small **3** balconies instead of gardens **4** tiled floors, almost never fitted carpets **5** the kitchen is the most 'lived-in' room **6** tidy, very clean flats/houses **7** some rooms are only used when there are guests, e.g. parlour **8** in the bathroom there is generally a bidet and a window

Answers

16 The most suitable flat is the one 'IN PIAZZALE EUROPA', although there might be a problem with the duration of the letting – 3 to 6 months only.

Grammar exercises

1 **a** sulla **b** nella **c** sullo **d** nell' **e** sulle **f** sugli **g** nei

2 sotto, nel, della, accanto, nella, di fronte, sul, sulla, sul, sul

UNIT 7

2 **a 1** di fronte **2** accanto, di fronte **3** dopo **4** prima, sinistra

3 **a** La questura **b** L'università **c** La scuola **d** La mensa

4 **a** Scusi, dov'è la questura? (F) Scusa, dov'è la questura? (I) **b** Scusi, dov'è l'università? (F) Scusa, dov'è l'università? (I) **c** Scusi, dov'è la scuola? (F) Scusa, dov'è la scuola? (I) **d** Scusi, dov'è la mensa? (F) Scusa, dov'è la mensa? (I)

5 **a** Scusi, dov'è …? **b** Scusi, c'è …? **c** Scusi, c'è …? **d** Scusi, dov'è …? **e** Scusi, c'è …? **f** Scusi, dov'è …?

6 Giri – Turn, Vada – Go, Prenda – Take, Attraversi – Cross, Continui – Continue

7 **a** prenda, vada **b** va', prendi, attraversa **c** prenda, vada **d** vai, gira, continua

8 **a** F scusi, prenda, vada **b** I scusa, va', prendi, attraversa **c** F scusi, prenda, vada **d** I senti, scusa, vai, gira, continua

9 **a** True **b** False **c** True **d** False

10 complicato, autobus, fermata, semaforo, biglietto, angolo, scendere, fermata

12 1, 8, 6, 7, 2, 3, 9, 5, 4, 10

14 Vorrei un biglietto per Firenze. Solo andata. A che ora è la coincidenza? Va bene. Un biglietto di andata per favore. Da quale binario parte il treno? Grazie.

16

17 **a** Three people. **b** From Milan to Pavia. **c** For 2 months.

Grammar exercises

1 alla, dell', in, alla, al, Di fronte, al, Lì, scuola, nel, alla, dell'. A casa di Marco.

2 At the greengrocer's/Dal fruttivendolo

3 Vada, giri, prenda, vada, continui, vada, continui

4 Andate, girate, prendete, andate, continuate, andate, continuate

UNIT 8

1 **a** Let's go to the cinema – Accepts **b** Come to my house to dinner – Refuses **c** Let's have a drink – Accepts **d** Let's have a party for your birthday – Refuses

2 **a** Perché non beviamo un caffè? Ti va di bere un caffè? Beviamo un caffè? **b** Perché non facciamo una partita a tennis? Ti va di fare una partita a tennis? Facciamo una partita a tennis? **c** Perché non andiamo in piscina? Ti va di andare in piscina? Andiamo in piscina? **d** Perché non giochiamo a calcio? Ti va di giocare a calcio? Giochiamo a calcio?

3 **a** Why don't we go out for dinner tonight? **b** Let's go out with Marco. **c** Let's have a beer with my friends in town. **d** Let's go to the cinema.

4 **a** Refuses because she is on a diet.
b Refuses because she is not very fond of Marco. **c** Refuses because she doesn't like beer, in fact she is a teetotaller. **d** Refuses because she thinks it is boring.

6 sono, scusa, perché, vediamo, impegni, va, non, d'accordo, alle, bene

7 **When:** Quando ci vediamo? **Where:** Dove andiamo? **At what time:** A che ora ci vediamo? Facciamo alle 8?

8 **Answering the phone:** Pronto? Sì? Banco San Paolo, buongiorno. **Asking to speak to someone:** C'è Marco? Posso parlare con Giuliana? Vorrei parlare con il dottor Mancini. **Identifying oneself:** Sono Mario. Sono Mara.

10 **a** 1 True **2** False. He has been studying Italian for two years. **3** False. They arrange to meet the following day. **4** False. It is Kevin who has a tattoo.

c Licia: sono alta, ho i capelli corti, lisci e biondi, porto gli occhiali. **Kevin:** sono abbastanza basso, sono magro, ho la barba e i baffi, sono bruno, ho i capelli ricci e lunghi, porto un orecchino al naso.

11 Licia è alta, ha i capelli corti, lisci e biondi e porta gli occhiali. Kevin è basso, magro, porta la barba e i baffi, è bruno, ha i capelli ricci e lunghi. Porta un orecchino al naso.

12 From left to right: Marlene, Robert, Marco, Paola, Luigi.

13 **Music:** 1 Perugia, 4 Venezia, 5 Sant'Anna Arresi **Festivals:** 2 Rovereto, 3 Manciano, 6 Reggio Calabria, 8 Caldonazzo **Markets:** 7 Erba, 8 Caldonazzo

Grammar exercises

1 **a** lo **b** le **c** li **d** li **e** lo **f** lo

2 **a** vi **b** Le **c** gli **d** vi **e** le **f** vi

3 lo, gli, le, l'(la), gli, le

4 **a** Paolo è alto e robusto, ha i capelli ricci corti e gli occhi neri. È timido e pigro.
b Mia madre è bassa e magra, porta gli occhiali e ha i capelli biondi. È dolce e allegra. **c** Marco e Luigi sono gemelli. Sono alti, hanno i baffi e la barba, i capelli rossi e le lentiggini. Sono intelligenti e spiritosi. **d** Jill e Helen sono gemelle. Sono snelle, di media statura, e portano gli occhiali. Sono eleganti e ambiziose. **e** Il nonno di Sunil è anziano, calvo, con la barba lunga grigia. È alto e robusto. È dinamico e giovanile.

UNIT 9

1 **a** 1 **b** 7 **c** 5 **d** 2 **e** 3 **f** 6 **g** 4

2 Verbs with **avere:** ha mangiato, hanno incontrato, ha guardato, hanno ballato Verbs with **essere:** sono uscite, è andato, è arrivata, sono partiti

3 **a** Ho **b** Sono **c** Ho **d** Ho **e** Sono

5 ascoltare, ballare, finire, tenere, dormire, avere, partire, cadere, vendere, uscire

7 **a** stati, stata, andato, andati **b** fatto, finito, tornata, mangiato, addormentata **c** venute

8 **a** Sono stato **b** Sono andata, ho ballato **c** Ho fatto, sono venuti, ci siamo divertiti **d** Sono venuti, abbiamo fatto, siamo andati **e** Ho avuto, sono rimasto, mi sono alzato

13 **Giulia:** 8.00 all'; 9.00 caffè con amici; 10.00 dal, ho aspettato due ore; 12.00 in, ho studiato fino alle due; 14.00 da; 15.00 in; 16.00 in; 17:00 sono tornata a casa; 18.00 dal **Dario:** 8.00 mi sono svegliato; 9.00 al; 10.00 sono andato a lezione; 11.00 in; 12.00 ho incontrato Riccardo; 13.00 abbiamo pranzato insieme alla mensa; 14.00 siamo andati in; 16.00 da; 17.00 Laura ha chiamato per invitarci ad andare al cinema; 18.00 al

14 l', li, li, le, le, l'

15 il bagno – l'ha pulito Alessia, la spesa – l'ha fatta Barbara, i piatti – li ha lavati Carlo, le piante – le ha innaffiate Dario

16 **a** 19th February 1953 in San Giorgio a Cremano. **b** A theatre group. **c** *Ricomincio da tre*. **d** Antonio Skarnata's novel. **e** Because he was very ill with a heart disease.

17 è nato, ha cominciato, ha recitato, è nata, ha portato, hanno inaugurato, ha messo, hanno presentato, è uscito, ha avuto, ha diretto, ha segnato, si è aggravato, si è fatto, è riuscito

Grammar exercises

1 **a** sei, sono **b** sono, ho **c** avete **d** sono **e** hai, è, ho

2 tornata, viaggiato, diventate, preso, attraversato, arrivate, preso, dormito, mangiato, divertite, conosciuto, giocato, cantato, ballato, fatto, visto

3 **a** hai lavorato, ho finito **b** ci siamo stancati/e **c** abbiamo fatto, ci siamo divertiti/e **d** ho giocato, sono caduto/a, mi sono rotto/a

UNIT 10

2 **a** Easy London **b** Cercasi insegnante **c** Per progetto **d** Ristorante-Birreria **e** Ti piacerebbe

3 **Date of interview:** Tuesday the 12th **Time:** 10 o'clock **Address:** Via S. Giacomo 35 **Other requirements:** experience, good knowledge of German

4 **Stato civile:** nubile **Indirizzo:** Via Cavour 65, 80132 Napoli **Titolo di studio:** laurea in Scienze Turistiche **Lingue conosciute:** tedesco, italiano, inglese e spagnolo **Professione attuale:** accompagnatrice

turistica **Altre esperienze di lavoro:** tirocinio presso Hotel Tramonti

6 **Name:** Angela Petrocchi **Nationality:** Italian **Marital status:** married **Place of residence:** Bologna **Academic qualifications:** liceo linguistico (A level languages) **Languages:** Italian, English, French, German **Professional experience:** au pair, waitress **Present job:** waitress at the Hilton in Viareggio

7 **a** Di dov'è? **b** Abita a Bologna? **c** Lei parla inglese, francese e tedesco, vero? **d** Dove ha lavorato? **e** Per quanto tempo? **f** Perché vuole cambiare? Non si trova bene?

9 **a** In three months she will finish university and get a degree. **b** She is going to Sicily first, then to South America. **c** Entertainer in a tourist resort.

11 Rosaria will be working all summer, she would like to go to Spain in September to see her sister. Vittoria is going to the seaside in Sardinia first, then to Sydney to see a friend for two months. She is planning to look for a job there.

14 **Piero Bindi:** 27, single, French /Spanish/ German/English, dynamic/reliable, degree in modern languages, shop assistant/translator **Anna Mauri:** 26, married, French/English, sociable/ determined, degree in tourism, worked in a hotel for two years/tour guide in USA

15 **Name of the school:** liceo Coreutico **Special subjects:** singing, acting, dancing **Duration:** five years **Requirements for admission:** students from 14 to 19 years old who have already studied dance at a high level

Grammar exercises

1 **a** Mi sono laureato/a **b** ti sei diplomato/a **c** Mi sono diplomato/a **d** Abbiamo frequentato **e** ho visto, ho mandato **f** ha avuto

2 **a** fai **b** partite **c** va **d** cambiamo **e** esce, vanno

3 **a** tra/fra **b** prossima **c** domani, dopodomani **d** domani, dopodomani **e** prossimo

4 **a** vorresti **b** vorrebbero **c** vorrebbe **d** vorremmo **e** vorreste

FURTHER PRACTICE
Unit 1

1 Ancona Bari Cosenza Domodossola Empoli Firenze Genova Imperia Livorno Milano Napoli Otranto Torino Udine Venezia Zané

2 **G**ioco del **l**ot**t**o. Vin**c**ere è **u**n **g**io**c**o. Tir**r**en**i**a. La **C**ompa**g**nia Itali**a**na di Navi**g**azione.
   P**e**r o**g**ni **c**a**s**a it**al**i**a**na **c**'è u**n** Pi**u**m**i**no D**a**n**e**se.

3 **Formal dialogue:** – Buongiorno. – Buongiorno. – Scusi, come si chiama? – Patrick McCarthy, e lei? – Anna Berti. – È italiana, vero? – Sì, di Torino. E lei? – Sono irlandese. **Informal dialogue:** – Ciao. – Ciao. – Come ti chiami? – Iracema, e tu? – Paolo – Di dove sei? – Sono italiano, di Roma. E tu? – Sono brasiliana, di Bahia.

4 **a** Mi chiamo Sophia Loren, sono **italiana**, di Pozzuoli, abito a Ginevra. **b** Mi chiamo Diego Maradona, sono **argentino**, di Buenos Aires, e abito a Buenos Aires. **c** Mi chiamo Eros Ramazzotti, sono **italiano**, di Roma, abito a Milano. **d** Sono Bill Gates, sono **americano**, di Seattle, abito a Seattle. **e** Mi chiamo Margaret Thatcher, sono **inglese**, di Grantham, abito a Londra.

Unit 2

1 **a** cinque, diciannove, ventuno, ventitré **b** ventotto, ottantuno, settantadue, sessantasette **c** cinquantasei, cinquantatré, cinquantuno, cinquanta

d trentatré, trentaquattro, trentotto, quarantatré

2 Si chiama Chiara Marella, è italiana, abita a Roma, è sposata, ha … anni, fa l'insegnante.

3 **Sara:** mother, 52, architect, married, Naples. **Adriano:** father, 49, unemployed, married, Naples. **Giovanni:** brother, 20, student of medicine, married with a child, Naples. **Carmela:** sister-in-law, 19, student of sociology, married with a child, Naples. **Elena:** niece, 3 months, Naples.

Unit 3

1 **il:** professore, lavoro **lo:** zio, studente **la:** mensa, città, professione, cameriera, nazione, sera, notte **l':** alfabeto, università, infermiera, orologio, amica **i:** meccanici, pomeriggi, ragazzi **gli:** gnocchi, amici, uffici **le:** madri, studentesse

2 **Luca:** 23, Genova, Engineering, only child, mother: 46, civil servant; father: 50, trader. **Gemma:** 21, Vicenza, Psychology, 3 brothers, 4 sisters, 2 nephews; father: 73, old age pensioner; mother: 69, pensioner. **Marco:** 25, Trento, Sociology, one sister; father: dead; sister: 30, shop assistant; mother: 54, social worker.

3 1.30, 1.45, 5.35, 12.15, 5.30, 12.20, 12.55, 3.45, 6.40

4 **a** True **b** False **c** False **d** False **e** True **f** True

5 **b** Giorgio non fa colazione a casa, ma al bar. **c** Non pranza al bar, ma a casa. **d** Il pomeriggio Giorgio lavora dalle quattro alle sei e mezza.

Unit 4

1 **a** One week. **b** She goes to a café/bar in Soho. **c** Because there are many eccentric people that she likes observing. **d** She likes it. **e** The weather.

179

Answers

3   **Sea:** Relaxing (Claudia) Too hot (Pratik).
   Mountains: Healthy (Pratik) It often rains
   (Claudia) **Countryside:** Peaceful, good
   food (Pratik) Nothing to do (Claudia)
   Lakes: You can windsurf (Pratik) Boring
   (Claudia) **London:** Lots to do (Claudia) Too
   expensive (Pratik) **Paris:** Romantic
   (Claudia) Too expensive (Claudia) **Cuba:**
   Good music, good food, nice and friendly
   people, beautiful weather and sea (Claudia)
   Wants to go there (Pratik)

4   **Across: 2** partono **3** vive **6** finiamo
   7 prendete **8** preferiscono **9** abiti
   10 finisco **11** compriamo **13** sei
   Down: 1 ha **2** preferisci **4** ho **5** sono
   9 affitti **12** amiamo

Unit 5

1   **Martha:** 19, French, Medicine, music and
   friends, 1 ice cream and 1 coffee, €4,50
   Helen: 20, Greek, Languages, plays the
   guitar, swimming, 1 cappuccino and 1
   mineral water, €3,75 **Paulo:** 23, Brazilian,
   Philosophy, friends, dancing, 1 ice-cold tea
   and 1 cheese sandwich, €2,90

2   **a** bar Alboran **b** bistrot La Contrada
   dell'Oca **c** Alboran **d** La Contrada
   e Alboran

4   camera, una, con, prezzo, colazione, sono,
   la, la, il, albergo

Unit 6

1   **a** 4 **b** 5 **c** 6 **d** 1 **e** 2 **f** 3

2   **a** Pineta **b** Altura **c** In costruzione
   d Centrale **e** Altura, In costruzione
   f Campo San Giacomo, In costruzione
   g Campo San Giacomo, In costruzione
   h San Giacomo 3° piano

4   **Town centre Pros:** close to cinemas,
   theatres, restaurants, etc., can walk
   everywhere, good for shopping **Cons:**
   expensive, noisy, polluted, tiring

   Suburbs Pros: quiet, peaceful, houses are

bigger and cheaper, it is very green **Cons:**
boring, transport is not so good, not as
many shops as in the town centre

5   **a** il, la, l', la (l'armadio) **b** il, il, il, il (il
   tostapane) **c** il, il, la, la (la piscina) **d** il, la,
   il, il (il forno) **e** la, la, il, la (la penna)

Unit 7

1   **a** farmacia **b** cinema **c** parcheggio **d** cabina
   telefonica **e** tabaccaio **f** edicola **g** ufficio
   postale

3   Friday 9th May, 20:30, Stansted airport,
   Monday 12th May, 6:30, Stansted airport

4   **a** families, groups of 3 to 4 people **b** 30%
   discounted fare **c** group has to travel
   together **d** no **e** Carta Verde (12–26 years)
   Carta d'Argento (over 60)

Unit 8

1   **Lunedì:** ore 17.00 dentista, 20–22 piscina
   Martedì: 16–18 regalo per un'amica,
   20–24 festa di compleanno di Giulia
   Mercoledì: 20–22 piscina **Giovedì:** 18
   appuntamento con l'amica **Venerdì:**
   18–20 fare la spesa 20–22 cucinare 22–24
   cena con amici a casa **Sabato:** 7.00
   partenza per Roma **Domenica:** 22–24
   ritorno da Roma

3   Nubile 38enne + Professionista 34enne,
   Ragazza 28enne + Ragazzo 31enne, Ciao
   sono Fabio + Mi chiamo Tonia, Vedova
   48enne + Stupendo 62enne, Ragazza
   dinamica + Ragazza gay, Straniera 30enne
   + Sono Gino

Unit 9

1   **a** To learn a language and broaden
   horizons. **b** To be a secondary school
   student, aged 15–19, able to speak a
   foreign language. **c** Either for a term or for
   the whole year. **d** Living with a family. **e**
   Price varies according to needs. **f** Fourth
   year abroad better than third. **g** France,

Germany, Austria. **h** The UK, because the school system is too different (only three subjects at 'A' level).

2 **Anna:** She went to Heidelberg (Germany) for one semester. She studied German Language and Literature at the university. In Heidelberg, she stayed in a student hall, made many new friends, improved her German. At first it was difficult to understand classes. **Giorgio:** He went to Barcelona, Spain. He studied Economics for one year. It was difficult to find accommodation in Barcelona, he shared a flat with four students. The exams were easy, the weather was great, he had a lot of fun. Barcelona is a very beautiful town. **Paola:** She went to Helsinki, Finland for one year. She studies Architecture. She stayed in a student hall, did not enjoy her stay, but had a very interesting experience nevertheless. The language was difficult but everyone spoke English.

Unit 10

1 **Franca:** teacher of Italian, sometimes works from 9 until late in the evening, the job is interesting and allows flexibility, has plenty of contacts with students, her job is not permanent, there are some periods of time in which she doesn't make enough money. **Giovanni:** works in a bank (San Paolo), from 9 to 5, good experience, good career prospects, his job can be boring and stressful, his salary is good enough to allow him to live well in London.

3 **a** Creativity. **b** Fashion designers with a high school diploma plus specific qualifications in subjects related to fashion. You need a good knowledge of English, should not be over 27, should not have worked in companies which belong to Sistema Moda Treviso after June 98. **c** You have to send a passport size photo, CV, copy of school diploma and other qualifications, 2 copies of one or more sketches in A4 size paper.

APPENDIX

Additional Glossary lists

Unit 4 Il tempo libero

Further practice

sono a Londra da una settimana	I have been in London for a week
le prime difficoltà	initial difficulties
compagni di corso	classmates
musica dal vivo	live music
cerco di studiare	I try to study
mi distraggo	I am distracted
tanta gente	a lot of people
moda pazza	crazy fashion
libertà	freedom
clima	weather
piove	it rains
il cielo è grigio e deprimente	the sky is grey and depressing
non vedo l'ora	I can't wait/I'm looking forward to

Unit 6 A casa

Section 12

ho visto	I have seen
l'annuncio	advert
il giornale	newspaper
la cauzione	deposit
pagare	to pay
certo	of course
trovarsi	to be situated
l'animale	animal
fumare	to smoke
centrale	central
l'affitto	rent
subito	immediately
stazione ferroviaria	railway station
il mese	month
d'anticipo	in advance
risarcibile	refundable
posso farle alcune domande?	can I ask you a few questions?
il gatto	cat
a parte	separately

Section 14

libero/a	free
il riscaldamento	central heating
prossimo/a	next (adj)

Extra!

Affittare	to rent
rinnovato/a	renovated
ampio/a	large
dividere	to share
l'ascensore	lift, elevator

Grammar exercises

la giacca	jacket
il maglione	sweater
la mensola	shelf
la borsa	bag
il cassetto	drawer
il disco	record
la sveglia	alarm clock
suonare	to ring/to go off
inutilmente	in vain
sporco/a	dirty
i vestiti	clothes
disordinato/a	untidy
gli avanzi	leftovers
in alto	up/above
la sciarpa	scarf
il pavimento	floor

Further practice

agenzia immobiliare	estate agent
servizi immobiliari	estate agent
il piano	floor
la cantina	cellar
soleggiato/a	sunny
bifamiliare	semi-detached
la penna	pen
il tostapane	toaster
il forno	oven

INDEX

accommodation (*see also* rooms and furniture) 68, 69, 70, 71, 138, 139
adjectives – agreement 8, 151
age 15
agreement/disagreement 40, 46
alphabet 2
andare 30, 31, 84, 106
arrangements 70, 91, 93, 142
asking/giving directions 78, 79, 80, 81, 85, 87, 88, 140
avere 20, 84, 104, 106, 110, 157, 158

buildings and locations 27, 77, 78, 79, 107, 140

colours 55
countries 6
curriculum vitae 117

da + duration 66, 160
days of the week 32
definite articles 13, 20, 27, 34, 150
describing someone 93, 94, 99, 143

eating and drinking out (*see also* food and drink) 52, 53, 54, 55, 136
essere 8, 13, 84, 104, 106, 110, 157, 158

family 17, 18, 23, 24, 131
fare 13, 20, 30, 31, 84, 157
food and drink (*see also* eating/drinking out) 51, 53, 54, 63, 64, 136
frequency 43, 44, 46, 48, 152
furniture 67, 68, 73, 139
future plans 119, 120, 122, 147

greetings 3, 4

hotels 57, 58, 59, 137

imperative 84, 159
indefinite articles 52, 150

introducing others 14
introducing yourself 4, 5, 13

jobs 13, 22, 23, 24, 115, 118, 146

like/dislike (doing) sth. 39, 40, 41, 46, 135, 159
location ('next to', etc.) 72, 77, 78, 140, 152

marital status 117, 130
meals 29
means of transport 81, 82
months 58, 62

nationalities 4, 5, 6, 10
negation 31, 60, 155
nouns – gender 2, 8, 13, 150
nouns – plural 18, 20, 27, 150
numbers 15, 52

opening/closing times 28, 33

parts of the day 29
past participle 103, 104, 108, 110, 158
past tense 103, 104, 105, 106, 107, 108, 110, 158
piacere/non piacere 39, 40, 41, 46, 135, 159
possessive adjectives 18, 20, 151
preferences 42
preferire (and verbs which follow the same pattern) 46, 156
prepositions 60, 68, 69, 72, 107, 155
prepositions, combined 72, 155
present tense 30, 31, 34, 156
present tense – irregular 30, 31, 34, 157
pronouns – direct object 96, 108, 153
pronouns – indirect object 97, 153
pronouns – reflexive 8, 30, 31, 34, 106, 154
pronouns – subject 8, 152
pronunciation 1, 2

questions 5, 13, 14, 16, 20, 26, 28, 39, 42, 44,
    78, 89
question formation 16, 20, 155
question words (who? what? why? when?, etc.)
    154

reflexive verbs 8, 30, 31, 34, 106, 156, 158
rooms 65, 66, 74, 138

suggestions 89, 90

telephone 91, 92, 93
telling the time/at what time 25, 26, 28, 29, 31
'there is'/'there are' 58, 60
time expressions 107, 120
travel 81, 82, 83, 141

uscire 30, 31, 157

BOOK PLAN

Unit	Topics/functions	Grammar
UNIT 1 **Come ti chiami?** What's your name?	Pronunciation of Italian words; greetings; information about self and others – name, nationality, and residence	• Nouns • Adjectives • Personal pronouns (subject) • Verbs: **essere**, verbs ending in **-are** and reflexive verbs ending in **-arsi**
UNIT 2 **Al lavoro e in famiglia** Work and family	Asking and answering questions about jobs; talking about one's and other people's family; counting up to one hundred	• Definite articles (singular) • Possessive adjectives • Plural of nouns • Verbs: **fare, avere**
UNIT 3 **Una giornata tipica** A normal day	Talking about one's daily routine; giving and asking the time; enquiring about shop opening hours; days of the week, parts of the day and meals	• Definite articles (plural) • Verbs: regular ending in **-are, -ere,** and **-ire**; reflexive verbs irregular verbs – **andare, fare, uscire** • Negative form of the verb
UNIT 4 **Il tempo libero** Free time	Talking about likes and dislikes; expressing preferences; discussing how you spend your weekends and free time; saying how often you do certain activities	• The verb **piacere** • Agreement and disagreement with **piacere** • Verbs in **-ire** following the pattern of **preferire** • Adverbs of frequency – **raramente, spesso, qualche volta, sempre**…
UNIT 5 **Al bar** At the café	Ordering food and drinks in bars and restaurants; booking into a hotel room; colours	• Indefinite articles • **There is/there are** • Prepositions

Unit	Topics/functions	Grammar
UNIT 6 **A casa** At home	Describing one's house; making enquiries about renting a room; understanding property advertisements	• Combined prepositions • Prepositions and adverbs of place • Duration form with **da**
UNIT 7 **In città** In town	Finding your way around in town; asking for and giving directions; buying a train ticket.	• The **imperative** (informal and formal) of the regular verbs • The imperative of irregular verbs • The negative form of the imperative
UNIT 8 **Ti va di …?** What about…?	Arranging meetings; suggesting something to do; dealing with telephone calls; describing people's physical appearance and personality.	• Direct object pronouns • Verbs taking a direct object • Indirect object pronouns
UNIT 9 **Cosa hai fatto ieri?** What did you do yesterday?	Talking about past events; asking and answering questions about past events	• The **passato prossimo** • Verbs taking the auxiliary **essere** and verbs taking **avere** • The **passato prossimo** with a direct object
UNIT 10 **Alla ricerca di un lavoro** Looking for a job	Writing a CV; understanding and replying to job adverts; talking about your past work experience, your future plans and aspirations	• How to express the future • **Penso di** + infinitive • **Forse** + present indicative • The conditional of **volere** • The conditional of **piacere**